북한 핵 문제

IAEA 대북한 핵시설 사찰 2

북한 핵 문제

IAEA 대북한 핵시설 사찰 2

한국학술정보

| 머리말

1985년 북한은 소련의 요구로 핵확산금지조약(NPT)에 가입한다. 그러나 그로부터 4년 뒤, 60년대 소련이 영변에 조성한 북한의 비밀 핵 연구단지 사진이 공개된다. 냉전이 종속되어 가던 당시 북한은 이로 인한 여러 국제사회의 경고 및 외교 압력을 받았으며, 1990년 국제원자력기구(IAEA)는 북핵 문제에 대해 강력한 사찰을 추진한다. 북한은 영변 핵시설의 사찰 조건으로 남한 내 미군기지 사찰을 요구하는 등 여러 이유를 댔으나 결국 3차에 걸친 남북 핵협상과 남북핵통제공동위원회 합의 등을 통해 이를 수용하였고, 결국 1992년 안전조치협정에도 서명하겠다고 발표한다. 그러나 그로부터 1년 뒤 북한은 한미 합동훈련의 재개에 반대하며 IAEA의 특별사찰을 거부하고 NPT를 탈퇴한다. 이에 UN 안보리는 대북 제재를 실행하면서 1994년 제네바 합의 전까지 남북 관계는 극도로 경직되게 된다.

본 총서는 외교부에서 작성하여 최근 공개한 1991~1992년 북한 핵 문제 관련 자료를 담고 있다. 북한의 핵안전조치협정의 체결 과정과 북한 핵시설 사찰 과정, 그와 관련된 미국의 동향과 일본, 러시아, 중국 등 우방국 협조와 관련한 자료까지 총 14권으로 구성되었다. 전체 분량은 약 7천여 쪽에 이른다.

2024년 3월
한국학술정보(주)

| 일러두기

· 본 총서에 실린 자료는 2022년 4월과 2023년 4월에 각각 공개한 외교문서 4,827권, 76만여 쪽 가운데 일부를 발췌한 것이다.

· 각 권의 제목과 순서는 공개된 원본을 최대한 반영하였으나, 주제에 따라 일부는 적절히 변경하였다.

· 원본 자료는 A4 판형에 맞게 축소하거나 원본 비율을 유지한 채 A4 페이지 안에 삽입하였다. 또한 현재 시점에선 공개되지 않아 '공란'이란 표기만 있는 페이지 역시 그대로 실었다.

· 외교부가 공개한 문서 각 권의 첫 페이지에는 '정리 보존 문서 목록'이란 이름으로 기록물 종류, 일자, 명칭, 간단한 내용 등의 정보가 수록되어 있으며, 이를 기준으로 0001번부터 번호가 매겨져 있다. 이는 삭제하지 않고 총서에 그대로 수록하였다.

· 보고서 내용에 관한 더 자세한 정보가 필요하다면, 외교부가 온라인상에 제공하는 『대한민국 외교사료요약집』 1991년과 1992년 자료를 참조할 수 있다.

| 차례

정 리 보 존 문 서 목 록

기록물종류	일반공문서철	등록번호	2021060061	등록일자	2021-06-15
분류번호	726.63	국가코드		보존기간	영구
명 칭	IAEA(국제원자력기구)의 대북한 핵시설 사찰, 1992. 전6권				
생 산 과	국제기구과/북미2과	생산년도	1992~1992	담당그룹	
권 차 명	V.4 Blix 사무총장 북한 방문, 5.11-16 : 보고서				
내용목차					

0001

관리 번호	92-508		원 본

외 무 부

종 별 : 긴 급

번 호 : AVW-0913

일 시 : 92 0603 1240

수 신 : 장 관(국기, 과기처)

발 신 : 주 오스트리아 대사

제 목 : IAEA 사무총장 방북 결과보고서

　　1. IAEA 사무총장(수행원 3 명)의 92.5.11-16(6 일간) 방북 결과 보고서를 입수하여 별전 FAX 송부함. (ANNEX 5 및 6 은 기송부했으므로 생략)

　　2. 상기 보고서는 아직 공표되지 않은 것이므로 공표시까지 대외비로 취급해 주시기 바람. 끝.

　　별 첨:상기 보고서 AVW(F)-131 38 매.끝.

　　(대사 이시영-국장)

　　예고: 92.12.31 일반.

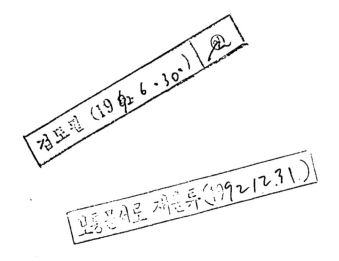

검토필 (19호 6 · 30 ·)

보통문서로 재분류(1992 12.31)

국기국 과기처	장관	차관	1차보	구주국	상황실	분석관	청와대	안기부

92.06.03　20:17

외신 2과 통제관 EC

0002

No : AVW(F)-131　Date 2003 (금42)

To : 장 판 (국기, 과기처)

(FAX No : 　　　　　)

Subject : 험부

표지포함 39 매

Total Number of Page :

공   란

공   란

공   란

공   란

공 란

공 란

공 란

공   란

공　　　　란

공   란

공　　　　　란

공   란

공 란

공 란

공 란

공   란

공   란

공   란

공   란

공   란

공   란

공 란

공   란

공 란

공   란

공   란

공   란

공   란

공　　　　란

공   란

공 란

공   란

공 란

공　　　란

공   란

공   란

공 란

공　　　란

공　　　　란

공   란

공　　　란

공 란

공　　　란

공　　　　란

공　　　　　란

공   란

공 란

공 란

공   란

공   란

공   란

공   란

공　　　　란

공   란

공   란

공   란

공   란

공   란

공　　란

공   란

공   란

공   란

공   란

공 란

공   란

공   란

공   란

공   란

공   란

공 란

공   란

공   란

공 란

공   란

공   란

공   란

공　　　란

ANNEX 5:
PRESS RELEASES

5 May 1992
PR 92/24
FOR IMMEDIATE RELEASE

INTERNATIONAL ATOMIC ENERGY AGENCY
WAGRAMERSTRASSE 5, P.O. BOX 100, A-1400 VIENNA, AUSTRIA.
TELEPHONE: 1 2360. TELEX: 1-12645. CABLE: INATOM VIENNA.
TELEFAX: 431 234564

PRESS RELEASE FOR USE OF INFORMATION MEDIA • NOT AN OFFICIAL RECORD

DEMOCRATIC PEOPLE'S REPUBLIC OF KOREA (DPRK) SUBMITS INITIAL REPORT TO IAEA UNDER COMPREHENSIVE SAFEGUARDS AGREEMENT IN CONNECTION WITH THE NON-PROLIFERATION TREATY

Following the entry into force on 10 April of the Safeguards Agreement between the DPRK and the International Atomic Energy Agency (IAEA) signed on 30 January, 1992, the Initial Report on nuclear material and design information on nuclear facilities in the DPRK was handed over to the Director General of the IAEA, Dr. Hans Blix, on 4 May.

In addition to the facilities that were already under IAEA safeguards (a research reactor and a critical facility of the Institute of Nuclear Physics) the list includes the following facilities: a sub-critical facility of the Kim Il Sung University in Pyongyang; a nuclear fuel rod fabrication plant and storage in Nyongbyon; an experimental nuclear power reactor (5 MW) of the Institute of Nuclear Physics in Nyongbyon; and a radiochemical laboratory of the Institute of Radiochemistry under construction in Nyongbyon and declared to be designed for research on the separation of uranium and plutonium and waste management and for the training of technicians.

In addition, a nuclear power plant of 50 MW under construction in Nyongbyon and one of 200 MW under construction in the North Pyongan Province are reported, and three reactors (635 MW each) for a nuclear power plant are being planned. Furthermore, two uranium mines and two plants for the production of uranium concentrate are listed.

The first IAEA inspection visit under the new comprehensive Safeguards Agreement in the DPRK is expected to take place before mid-June 1992, when the IAEA Board of Governors next meets.

The Director General of the IAEA will pay an official visit to the DPRK in the week of 11-16 May while travelling in the Far East.

— 1 —

0081

INTERNATIONAL ATOMIC ENERGY AGENCY
WAGRAMERSTRASSE 5, P.O. BOX 100, A-1400 VIENNA, AUSTRIA.
TELEPHONE: 1 2360, TELEX 1-12645, CABLE: INATOM VIENNA.
TELEFAX: 431 234564

15 May 1992
PR 92/25
FOR IMMEDIATE RELEASE

• PRESS RELEASE FOR USE OF INFORMATION MEDIA • NOT AN OFFICIAL RECORD

IAEA DIRECTOR GENERAL COMPLETES OFFICIAL VISIT TO THE DEMOCRATIC PEOPLE'S REPUBLIC OF KOREA

At the invitation of the Government of the Democratic People's Republic of Korea (DPRK) the Director General of the International Atomic Energy Agency (IAEA), Dr. Hans Blix, accompanied by senior advisers paid an official visit to the DPRK 11-16 May, 1992.

In the course of the visit the Director General and his advisers met with the Premier of the DPRK, Mr. Yon Hyong Muk, the Minister of Atomic Energy, Mr. Choi Hak Gun, the First Deputy Minister of Foreign Affairs, Mr. Kang Sok Ju and other officials.

The Director General and his advisers visited several installations at the Nyongbyon Nuclear Research Centre including a 5 MW(e) experimental nuclear power plant in operation, a 50 MW(e) nuclear power plant under construction and an installation for chemical processing of spent fuel under construction and partially tested.

They further visited a 200 MW(e) nuclear power plant under construction at Taechon and uranium ore-concentration plants at Pakchon and Pyongsan.

They also visited the Institute of Atomic Energy and the Kim Il Sung University in Pyongyang.

In the talks which were held during the visit, the DPRK's need for a peaceful nuclear power programme for economic and social development was explained.

The programme was described as being based on a policy of self-reliance and using indigenously designed reactors, indigenous natural uranium as fuel and indigenously produced graphite as a moderator.

The ability to reprocess spent fuel is being developed and tested, according to the DPRK, in order to recover uranium and to obtain plutonium for eventual use in a breeder reactor, which is still in an early phase of study, or for use in future mixed oxide (MOX) fuel.

-2-

0082

Another route to nuclear power is being considered, consisting of the import of light water reactor technology and enriched uranium fuel, if secure supply can be obtained.

The DPRK ratified a comprehensive safeguards agreement with the IAEA on 10 April, 1992 and an initial list of nuclear installations and material was transmitted to the Agency on 4 May.

A team of Agency safeguards inspectors will visit the declared installations within a few weeks.

The Director General was assured that the entire nuclear programme of the DPRK was devoted to peaceful purposes, that the safeguards agreement would be scrupulously respected and that, with a view to creating transparency and confidence, officials of the Agency are invited to visit any site and installation they wish to see, irrespective of whether it was found on the initial list submitted to the IAEA.

ANNEX 6:
TRANSCRIPT OF BEIJING PRESS CONFERENCE

Transcript from the Press Briefing by Dr. Hans Blix, Director
General of the International Atomic Energy Agency
Beijing Hotel, Beijing, 16 May 1992, 2:00 p.m. (Beijing time)

Dr. Blix:

.   I have arranged this press conference because I know there
is much interest in the nuclear programme of the DPRK and I and
my advisors are the first foreigners to see a number of nuclear
installations in the DPRK. The first point I would like to make
to you is that this was not an IAEA inspection of nuclear
installations, but an official visit to familiarize ourselves
with the nuclear programme of the DPRK. A safeguards inspection
is planned to take place within weeks to verify the declaration
that was submitted to the IAEA on the 4th of May.

We were hosted throughout our visit by the Minister of
Atomic Energy who travelled with us and I also had talks with the
Prime Minister and with the First Deputy Foreign Minister of the
DPRK. We visited the Nyongbyon Nuclear Research Centre and saw,
among other things there, a 5 MW (e) experimental nuclear power
plant which has been in operation since 1986. We also saw the 50
MW (e) demonstration prototype nuclear power plant which is under
construction and we saw the fuel element factory which is also
in operation. We saw the Radiochemical Laboratory under construc-
tion and some other laboratories. We were also shown some large
underground shelters.

We went to Taechon to see the 200 MW (e) nuclear power
plant which is under construction there and we went to Pakchon
and to Pyongsan to see the Uranium Ore Concentration Plants which
produces uranium concentrate, often inaccurately called
yellowcake. At Pyongyang we visited the Institute for Atomic

0084

－1－

Research and saw the cyclotron which is installed there. And we also visited the Kim Il Sung University and met with professors at that university.

What did we learn? The first point was that there is the conviction that the DPRK needs to rely upon nuclear power for electricity generation. About 50% of their electricity, we were told, comes from hydropower and about 50% from thermal power. They have fairly abundant supplies of coal. However, they feel they wish to use these coal resources not only for thermal power but also for industrial production, fibres, for instance. They determined they need a nuclear power programme and they looked at what options they have. They are not too numerous: one is to use the heavy water line which has been produced by Canada and India. But the production of heavy water, they considered, was difficult. There is the light-water reactor line. Then you have to enrich uranium, and this they also considered difficult. And they decided then that they will use the method of natural uranium and graphite. They have natural uranium, which they had learned to process to make reactor grade fuel, and graphite was also something that they could produce and make sufficiently pure for use in nuclear reactors. So they chose the line that the British chose, some 35-40 years ago, when they built the Calder Hall reactor which is still in operation in the UK.

They also decided that they would reprocess the spent fuel that will result from the reactors, thereby obtaining depleted uranium and plutonium and they have actually generated and reprocessed a tiny quantity of plutonium which they have declared to the Agency. They told us that they would use the reprocessed

0085

material as fuel in a breeder reactor and they are in an early phase of study of breeder reactors, alternatively they would use the reprocessed fuels to make mixed oxide (MOX) fuel that can be used in light water reactors. They also told us that they were interested in a light-water reactor line which, however, would require lightly enriched uranium. This line would not allow them to continue on the basis of self-reliance; the line they have chosen allows them complete self-reliance. Light water reactor technology would have to be imported and enriched uranium would also have to be imported and they feel unsure whether they would get sufficiently strong assurances of supply if they were to make use of that line.

They ratified the comprehensive safeguards agreement under the Non-Proliferation Treaty with the Agency on the 10th of April this year. And they deposited with me an initial declaration of the nuclear material they possess and of the installations they have on the 4th of May. The installations have been listed by us in a press release. The information about the quantity of the nuclear material in the DPRK remains confidential, as for all other countries that submit material for our inspection. We expect to have an inspection on the basis of this declaration within weeks and the task of that inspection is to verify the declaration.

I am sure some of you will ask me whether everything is on this list. Can we be confident that the list is complete? In a closed society - and the DPRK is still a closed society - it may of course be easier to hide something than it is in an open society. I think confidence can only come from an increasing

0086

— 3 —

openness. The safeguards declaration that they deposited with us is an important first step in openness. The inspection that will take place very shortly is the next step in openness. They have also told us that they are ready to make available to us the original operating record of the 5 MW (e) plant and they have in addition declared that officials of the IAEA are invited to visit any installation or any place, any site they would like in the future. After the inspection has taken place, it would be easier for us also to analyse the coherence of the programme and how the different parts match each other.

Lastly, as you know, an agreement has been reached with the Republic of Korea under which they plan to have mutual inspections, and we hope that agreement, too, will come to fruition and be completed. They are still negotiating about it, and I have certainly given them my counsel that it would be desirable with a view to further openness to the world and thereby gaining confidence. I have put together some of the essential points in a small press release which will be available to you. I set aside this time because I assume there will be interest and I will be available for some 50 minutes if you wish me to answer questions.

-Question (not audible on tape)

Dr. Blix: You ask about my total impression of the Korean nuclear programme. They have chosen a somewhat old-fashioned reactor line for reasons of self-reliance. The British continued with advanced gas-cooled reactors for quite some time but eventually abandoned this because the light-water reactor line is more effective. So the North Koreans have sacrificed that effectiveness in favour

0087

of self-reliance and they are aware of the fact that a light-water reactor line would be more effective. Hence they show an interest in it but they are hesitating because they are not certain that they would have an assurance of supply of technology and of fuel. On the 5 MW (e) reactor, we were informed that the reactor still holds the core that was originally put into it; however, a number of rods have been damaged and have been taken out and it is from those rods that they have reprocessed a tiny quantity of plutonium.

-Question (not audible on tape)

Dr. Blix: The Radiochemical Laboratory that we visited is not a small building, it is about 180 meters long, so it is a large building. However, it was explained to us that it was termed a laboratory because it is used so far for testing. It is about 80% completed in terms of civil engineering and only about 40% completed in terms of equipment. This is the information we had. Our experts think that this estimate of readiness is probably accurate. It has, as we were told, only been used for testing in 1990, at which time a tiny quantity of plutonium was produced. This is the reason why they call it a laboratory. There was no work going on at the present time; we were informed that equipment was ordered but has not yet been delivered. If it had been completed, if all the equipment had been there, I have no doubt that it would have been considered a reprocessing plant in our terminology, but the non-completeness of it and the use of it for testing are the reasons which were given as to why it is called a radiochemical laboratory.

-Question (not audible on tape)

0088

— 5 —

Dr. Blix: I do not like to speculate, I prefer to tell you what I have seen, it is a large building 180 meters long, several stories high, and it was described to us as an installation in which they have been testing the reprocessing of some fuel and have obtained a small quantity of plutonium and, of course, depleted uranium. And this was the plan and the purpose of the building. They are explicitly saying that their nuclear fuel cycle envisages the reprocessing of fuel in order to obtain uranium and plutonium for eventual use in a reactor, but they have only done this in 1990 on a test basis and only obtained a very tiny quantity of plutonium and there was no work going on at the moment; that is what we have seen.

-Question: Is it not too big for a laboratory?

Dr. Blix: As I explained it is termed a laboratory because they have used it for testing. If it were in operation and complete, then certainly, in our terminology, we would call it a reprocessing plant.

-Question (not audible on tape)

Dr. Blix: No they have nothing in it.

-Question (not audible on tape)

Dr. Blix: There is a tiny quantity of plutonium and certainly far from the amount that you need for a weapon. Well, we are obliged to observe the confidential nature of this information regarding all countries and we treat the DPRK the same way as all others. A tiny quantity, far from what you would need for a bomb. As to the equipment, I cannot really tell you whether there has been equipment that was taken out or whether they are waiting for equipment to come. Our inspectors will be there within weeks and

0089

— 6 —

they will go through this plant and check on details. I can only tell you that it was **not** complete at the time when we walked through; there were several pieces missing.

-Question (not audible on tape)

Dr. Blix: We will do as thorough a job as we can and I think that will contribute a great deal to openness. However, as I said initially, I think that for confidence in the nuclear sphere the more openness you can have, the better and I said that also to our hosts in the DPRK. There is nothing to stop them from being open to others. Vis-a-vis us, they have an obligation to be open, because they have signed a comprehensive safeguards agreement. I hope that the bilateral agreement made with the Republic of Korea will also proceed through negotiations that are in train. I think that will increase the openness and the confidence.

-Question (not audible on tape)

Dr. Blix: That is a bilateral matter between them and us. Of course, we will do a thorough job as I explained to you. We will analyse all the material and all the information that we received. We will assess whether or not in our view it is coherent, whether it is consistent or whether anything is missing.

-Question (not audible on tape)

Dr. Blix: Well, let's take for instance the following: earlier this year, relatively little was known about the nuclear programme of the DPRK. Once a state ratifies a comprehensive safeguards agreement with us, it also fulfills the obligation that follows on that agreement to submit to us a list of installations and of nuclear material. It was through this

0090

-7-

procedure that a great deal of information became available to the world. These installations and this material will now be open to the inspections that will follow soon. And they invited me, and some advisors with me, to familiarize ourselves with the nuclear programme of the DPRK. So, in a very short span of time, a programme that was very little known has set aside very much of its secrecy and it will now be for us and for others to assess the confidence that we will have in it; for our experts to assess the completeness, the consistency of the programme, and governments will also undoubtedly assess on their part the completeness of the declaration. As I said also initially, I think that it will certainly take some time before their confidence develops - - if it develops - in the completeness of the declaration.

-Question (not audible on tape)

Dr. Blix: We took a fair amount of pictures, yes. There was also some video taken.

-Question (not audible on tape)

Dr. Blix: The question is far too general, but I can tell you that we were asked before we left Vienna what we wanted to visit, and we were taken to all the sites and a few more that we had put on our lists, and they had to use the helicopter one day in order to make sure that we saw them all, so we have no reason to complain at all, on the contrary, they went out of their way to take us to those sites we had asked to see.

-Question (not audible on tape)

Dr. Blix: We have inspectors both from the Republic of Korea and from the DPRK in the IAEA. I cannot tell you yet who we will

0091

send. It will be a group of about half a dozen people. We usually go by what competence needs to be covered in a particular inspection, depending upon what kind of facilities they have. That is the most important guiding criterion.

-Question How long would it be before they had enough plutonium for a bomb?

Dr. Blix: That is the kind of answer you would love to have. It's so speculative that I would not feel particularly comfortable. So I do not think I can respond. Not at the present time, there are far too many imponderables in such a situation. You would love a figure, but no meaningful figure can be given.

-Question (not audible on tape)

Dr. Blix: The 50 MW (e) was planned for 1995 and the 200 MW (e) for about 1996. Well, that is hard to say, I mean we saw them both and there was a lot of activity on the 200 MW (e) plant. The 50 MW (e) plant, I think it was probably lunch time when we were there.

Yes, my experts think that 1995 is realistic for the 50 MW (e) plant. And the other one -there was a great deal of work going on, so it may well be realistic too. The 200 MW (e) plant is what we would call in the industrialized world a commercial type, a plant for generation of electricity, and of course the 50 MW (e) plant too is for generation of electricity, just as they get electricity from the 5 MW (e) plant. There has been some speculation or indications in the media to the effect that there were no electric outlets but we were shown such electric outlets. For the 200 MW (e) plant there was a yard for a switchyard and some pylons for the power lines, but no power lines mounted yet.

0092

— 9 —

Dr. Blix: Well, there are some important differences. Iraq never declared anything enriched, and they also did not declare that they had built a billion dollar enrichment programme. The DPRK is declaring to us that they have built a radiochemical laboratory which is of fairly large size and they have also declared that they have succeeded in reprocessing spent fuel into plutonium. So there is a big difference. What the Agency learned from the case of Iraq was to devise methods which would give greater assurance that non-declared installations and sites would be discovered and we have proposed a number of ways of having access to more information that will have to be delivered to us under the strengthened safeguards system which is now being discussed in the Board of Governors. We have also noted that we have a right under safeguards agreements to request what we term special inspections in case we find reasons to believe that something is not declared. Whether we discover this through inconsistencies in the information, or whether the media somehow discover something, or through some other way. So, we would have that capacity in case we think that there is some site that should have been declared.

In the case of our discussions now, we have obtained a commitment by the Government of the DPRK that we have, as it were, a standing invitation to send officials of the Agency to look at any site or any installation which we want. This is something that goes beyond present safeguards duties in a country and I think that is a positive step. So, the answer is yes, after

0093

Iraq we have taken a number of steps to strengthen our ability to detect undeclared installations if there are any.

-Question (not audible on tape)

Dr. Blix: As to the possible removal from the radiochemical laboratory of any items, the inspectors, when they come there, and look closely, they would see some signs of any such thing having occurred, but we did not see any traces of that. About Soviet scientists, there are lots of rumours in the media that Soviet scientists are going abroad. We have not seen any hard evidence of that. We have tried in a number of cases to follow up such information and news items to the effect that plutonium is seized in one place or another or enriched uranium has been seized in Zurich. We have followed up a number of those stories, in fact we try to follow up all of them, but we have not found substance in any of them so far. To my knowledge, nuclear scientists in the ex-Soviet Union still require exit visas to leave. Now, in my view, that is not something that is particularly desirable to keep forever. I think personally it is people's right to travel freely in the world. A number of States are setting up some Institutes in the Soviet Union for the employment of nuclear scientists who might otherwise be unemployed and perhaps be tempted to go abroad. I do not know how realistic the fear of such temptations is. But the fact is that we have not seen any hard evidence. It does not exclude that it could happen, but we have not seen any evidence.

-Question (not audible on tape)

0094

— 11 —

Dr. Blix: The underground shelters we saw were at Nyongbyon, at the Nuclear Research Centre. They were very extensive, they were large cavities under the hills. Empty, with the exception that the ventilation systems were visible, otherwise nothing in them. And it was explained to us that they fear the risk of an attack: they have experience of war, of being attacked, and that they would propose to move out equipment and people and documents in case of need.

The helicopter was used on the third day of our tour in order to enable us to see in one day the plants of Taechon, Pakchon and Pyangson.

-Question (not audible on tape)

Dr. Blix: We did not see anything stored there at all. They were huge. No, we saw no weapons. We did not go through them all, though.

-Question (not audible on tape)

Dr. Blix: We will have meetings with some of the leaders of the Chinese nuclear power programme this afternoon so I cannot say much about what we will talk about, but we have extensive relations with our Chinese hosts and I have myself visited both the Qinshan and the Daya Bay plant and we are trying particularly to be of assistance in the field of training and safety and safety regulations, and we know that they are rather slowly and cautiously expanding their nuclear programme. They have put the Qinshan plant into operation and the Daya Bay plant will go into

0095

operation, I think, next year. So we have a very close co-
operation with China in this field.

Thank you very much.

Transcript from the Press Briefing by Dr. Hans Blix, Director
General of the International Atomic Energy Agency
Beijing Hotel, Beijing, 16 May 1992, 2:00 p.m. (Beijing time)

Dr. Blix:

. I have arranged this press conference because I know there
is much interest in the nuclear programme of the DPRK and I and
my advisors are the first foreigners to see a number of nuclear
installations in the DPRK. The first point I would like to make
to you is that this was not an IAEA inspection of nuclear
installations, but an official visit to familiarize ourselves
with the nuclear programme of the DPRK. A safeguards inspection
is planned to take place within weeks to verify the declaration
that was submitted to the IAEA on the 4th of May.

We were hosted throughout our visit by the Minister of
Atomic Energy who travelled with us and I also had talks with the
Prime Minister and with the First Deputy Foreign Minister of the
DPRK. We visited the Nyongbyon Nuclear Research Centre and saw,
among other things there, a 5 MW (e) experimental nuclear power
plant which has been in operation since 1986. We also saw the 50
MW (e) demonstration prototype nuclear power plant which is under
construction and we saw the fuel element factory which is also
in operation. We saw the Radiochemical Laboratory under construc-
tion and some other laboratories. We were also shown some large
underground shelters.

We went to Taechon to see the 200 MW (e) nuclear power
plant which is under construction there and we went to Pakchon
and to Pyongsan to see the Uranium Ore Concentration Plants which
produces uranium concentrate, often inaccurately called
yellowcake. At Pyongyang we visited the Institute for Atomic

0097

Research and saw the cyclotron which is installed there. And we also visited the Kim Il Sung University and met with professors at that university.

What did we learn? The first point was that there is the conviction that the DPRK needs to rely upon nuclear power for electricity generation. About 50% of their electricity, we were told, comes from hydropower and about 50% from thermal power. They have fairly abundant supplies of coal. However, they feel they wish to use these coal resources not only for thermal power but also for industrial production, fibres, for instance. They determined they need a nuclear power programme and they looked at what options they have. They are not too numerous: one is to use the heavy water line which has been produced by Canada and India. But the production of heavy water, they considered, was difficult. There is the light-water reactor line. Then you have to enrich uranium, and this they also considered difficult. And they decided then that they will use the method of natural uranium and graphite. They have natural uranium, which they had learned to process to make reactor grade fuel, and graphite was also something that they could produce and make sufficiently pure for use in nuclear reactors. So they chose the line that the British chose, some 35-40 years ago, when they built the Calder Hall reactor which is still in operation in the UK.

They also decided that they would reprocess the spent fuel that will result from the reactors, thereby obtaining depleted uranium and plutonium and they have actually generated and reprocessed a tiny quantity of plutonium which they have declared to the Agency. They told us that they would use the reprocessed

0098

material as fuel in a breeder reactor and they are in an early phase of study of breeder reactors, alternatively they would use the reprocessed fuels to make mixed oxide (MOX) fuel that can be used in light water reactors. They also told us that they were interested in a light-water reactor line which, however, would require lightly enriched uranium. This line would not allow them to continue on the basis of self-reliance; the line they have chosen allows them complete self-reliance. Light water reactor technology would have to be imported and enriched uranium would also have to be imported and they feel unsure whether they would get sufficiently strong assurances of supply if they were to make use of that line.

They ratified the comprehensive safeguards agreement under the Non-Proliferation Treaty with the Agency on the 10th of April this year. And they deposited with me an initial declaration of the nuclear material they possess and of the installations they have on the 4th of May. The installations have been listed by us in a press release. The information about the quantity of the nuclear material in the DPRK remains confidential, as for all other countries that submit material for our inspection. We expect to have an inspection on the basis of this declaration within weeks and the task of that inspection is to verify the declaration.

I am sure some of you will ask me whether everything is on this list. Can we be confident that the list is complete? In a closed society - and the DPRK is still a closed society - it may of course be easier to hide something than it is in an open society. I think confidence can only come from an increasing

0099

openness. The safeguards declaration that they deposited with us is an important first step in openness. The inspection that will take place very shortly is the next step in openness. They have also told us that they are ready to make available to us the original operating record of the 5 MW (e) plant and they have in addition declared that officials of the IAEA are invited to visit any installation or any place, any site they would like in the future. After the inspection has taken place, it would be easier for us also to analyse the coherence of the programme and how the different parts match each other.

Lastly, as you know, an agreement has been reached with the Republic of Korea under which they plan to have mutual inspections, and we hope that agreement, too, will come to fruition and be completed. They are still negotiating about it, and I have certainly given them my counsel that it would be desirable with a view to further openness to the world and thereby gaining confidence. I have put together some of the essential points in a small press release which will be available to you. I set aside this time because I assume there will be interest and I will be available for some 50 minutes if you wish me to answer questions.

-Question (not audible on tape)

Dr. Blix: You ask about my total impression of the Korean nuclear programme. They have chosen a somewhat old-fashioned reactor line for reasons of self-reliance. The British continued with advanced gas-cooled reactors for quite some time but eventually abandoned this because the light-water reactor line is more effective. So the North Koreans have sacrificed that effectiveness in favour

0100

of self-reliance and they are aware of the fact that a light-water reactor line would be more effective. Hence they show an interest in it but they are hesitating because they are not certain that they would have an assurance of supply of technology and of fuel. On the 5 MW (e) reactor, we were informed that the reactor still holds the core that was originally put into it; however, a number of rods have been damaged and have been taken out and it is from those rods that they have reprocessed a tiny quantity of plutonium.

-Question (not audible on tape)

Dr. Blix: The Radiochemical Laboratory that we visited is not a small building, it is about 180 meters long, so it is a large building. However, it was explained to us that it was termed a laboratory because it is used so far for testing. It is about 80% completed in terms of civil engineering and only about 40% completed in terms of equipment. This is the information we had. Our experts think that this estimate of readiness is probably accurate. It has, as we were told, only been used for testing in 1990, at which time a tiny quantity of plutonium was produced. This is the reason why they call it a laboratory. There was no work going on at the present time; we were informed that equipment was ordered but has not yet been delivered. If it had been completed, if all the equipment had been there, I have no doubt that it would have been considered a reprocessing plant in our terminology, but the non-completeness of it and the use of it for testing are the reasons which were given as to why it is called a radiochemical laboratory.

-Question (not audible on tape)

0101

Dr. Blix: I do not like to speculate, I prefer to tell you what I have seen, it is a large building 180 meters long, several stories high, and it was described to us as an installation in which they have been testing the reprocessing of some fuel and have obtained a small quantity of plutonium and, of course, depleted uranium. And this was the plan and the purpose of the building. They are explicitly saying that their nuclear fuel cycle envisages the reprocessing of fuel in order to obtain uranium and plutonium for eventual use in a reactor, but they have only done this in 1990 on a test basis and only obtained a very tiny quantity of plutonium and there was no work going on at the moment; that is what we have seen.

-Question: Is it not too big for a laboratory?

Dr. Blix: As I explained it is termed a laboratory because they have used it for testing. If it were in operation and complete, then certainly, in our terminology, we would call it a reprocessing plant.

-Question (not audible on tape)

Dr. Blix: No they have nothing in it.

-Question (not audible on tape)

Dr. Blix: There is a tiny quantity of plutonium and certainly far from the amount that you need for a weapon. Well, we are obliged to observe the confidential nature of this information regarding all countries and we treat the DPRK the same way as all others. A tiny quantity, far from what you would need for a bomb. As to the equipment, I cannot really tell you whether there has been equipment that was taken out or whether they are waiting for equipment to come. Our inspectors will be there within weeks and

0102

they will go through this plant and check on details. I can only tell you that it was <u>not</u> complete at the time when we walked through; there were several pieces missing.

<u>-Question (not audible on tape)</u>

Dr. Blix: We will do as thorough a job as we can and I think that will contribute a great deal to openness. However, as I said initially, I think that for confidence in the nuclear sphere the more openness you can have, the better and I said that also to our hosts in the DPRK. There is nothing to stop them from being open to others. Vis-a-vis us, they have an obligation to be open, because they have signed a comprehensive safeguards agreement. I hope that the bilateral agreement made with the Republic of Korea will also proceed through negotiations that are in train. I think that will increase the openness and the confidence.

<u>-Question (not audible on tape)</u>

Dr. Blix: That is a bilateral matter between them and us. Of course, we will do a thorough job as I explained to you. We will analyse all the material and all the information that we received. We will assess whether or not in our view it is coherent, whether it is consistent or whether anything is missing.

<u>-Question (not audible on tape)</u>

Dr. Blix: Well, let's take for instance the following: earlier this year, relatively little was known about the nuclear programme of the DPRK. Once a state ratifies a comprehensive safeguards agreement with us, it also fulfills the obligation that follows on that agreement to submit to us a list of installations and of nuclear material. It was through this

0103

procedure that a great deal of information became available to the world. These installations and this material will now be open to the inspections that will follow soon. And they invited me, and some advisors with me, to familiarize ourselves with the nuclear programme of the DPRK. So, in a very short span of time, a programme that was very little known has set aside very much of its secrecy and it will now be for us and for others to assess the confidence that we will have in it; for our experts to assess the completeness, the consistency of the programme, and governments will also undoubtedly assess on their part the completeness of the declaration. As I said also initially, I think that it will certainly take some time before their confidence develops - - if it develops - in the completeness of the declaration.

–Question (not audible on tape)

Dr. Blix: We took a fair amount of pictures, yes. There was also some video taken.

–Question (not audible on tape)

Dr. Blix: The question is far too general, but I can tell you that we were asked before we left Vienna what we wanted to visit, and we were taken to all the sites and a few more that we had put on our lists, and they had to use the helicopter one day in order to make sure that we saw them all, so we have no reason to complain at all, on the contrary, they went out of their way to take us to those sites we had asked to see.

–Question (not audible on tape)

Dr. Blix: We have inspectors both from the Republic of Korea and from the DPRK in the IAEA. I cannot tell you yet who we will

0104

send. It will be a group of about half a dozen people. We usually go by what competence needs to be covered in a particular inspection, depending upon what kind of facilities they have. That is the most important guiding criterion.

-Question How long would it be before they had enough plutonium for a bomb?

Dr. Blix: That is the kind of answer you would love to have. It's so speculative that I would not feel particularly comfortable. So I do not think I can respond. Not at the present time, there are far too many imponderables in such a situation. You would love a figure, but no meaningful figure can be given.

-Question (not audible on tape)

Dr. Blix: The 50 MW (e) was planned for 1995 and the 200 MW (e) for about 1996. Well, that is hard to say, I mean we saw them both and there was a lot of activity on the 200 MW (e) plant. The 50 MW (e) plant, I think it was probably lunch time when we were there.

Yes, my experts think that 1995 is realistic for the 50 MW (e) plant. And the other one -there was a great deal of work going on, so it may well be realistic too. The 200 MW (e) plant is what we would call in the industrialized world a commercial type, a plant for generation of electricity, and of course the 50 MW (e) plant too is for generation of electricity, just as they get electricity from the 5 MW (e) plant. There has been some speculation or indications in the media to the effect that there were no electric outlets but we were shown such electric outlets. For the 200 MW (e) plant there was a yard for a switchyard and some pylons for the power lines, but no power lines mounted yet.

0105

-Question (not audible on tape)

Dr. Blix: Well, there are some important differences. Iraq never declared anything enriched, and they also did not declare that they had built a billion dollar enrichment programme. The DPRK is declaring to us that they have built a radiochemical laboratory which is of fairly large size and they have also declared that they have succeeded in reprocessing spent fuel into plutonium. So there is a big difference. What the Agency learned from the case of Iraq was to devise methods which would give greater assurance that non-declared installations and sites would be discovered and we have proposed a number of ways of having access to more information that will have to be delivered to us under the strengthened safeguards system which is now being discussed in the Board of Governors. We have also noted that we have a right under safeguards agreements to request what we term special inspections in case we find reasons to believe that something is not declared. Whether we discover this through inconsistencies in the information, or whether the media somehow discover something, or through some other way. So, we would have that capacity in case we think that there is some site that should have been declared.

In the case of our discussions now, we have obtained a commitment by the Government of the DPRK that we have, as it were, a standing invitation to send officials of the Agency to look at any site or any installation which we want. This is something that goes beyond present safeguards duties in a country and I think that is a positive step. So, the answer is yes, after

0106

Iraq we have taken a number of steps to strengthen our ability to detect undeclared installations if there are any.

-Question (not audible on tape)

Dr. Blix: As to the possible removal from the radiochemical laboratory of any items, the inspectors, when they come there, and look closely, they would see some signs of any such thing having occurred, but we did not see any traces of that. About Soviet scientists, there are lots of rumours in the media that Soviet scientists are going abroad. We have not seen any hard evidence of that. We have tried in a number of cases to follow up such information and news items to the effect that plutonium is seized in one place or another or enriched uranium has been seized in Zurich. We have followed up a number of those stories, in fact we try to follow up all of them, but we have not found substance in any of them so far. To my knowledge, nuclear scientists in the ex-Soviet Union still require exit visas to leave. Now, in my view, that is not something that is particularly desirable to keep forever. I think personally it is people's right to travel freely in the world. A number of States are setting up some Institutes in the Soviet Union for the employment of nuclear scientists who might otherwise be unemployed and perhaps be tempted to go abroad. I do not know how realistic the fear of such temptations is. But the fact is that we have not seen any hard evidence. It does not exclude that it could happen, but we have not seen any evidence.

-Question (not audible on tape)

0107

Dr. Blix: The underground shelters we saw were at Nyongbyon, at the Nuclear Research Centre. They were very extensive, they were large cavities under the hills. Empty, with the exception that the ventilation systems were visible, otherwise nothing in them. And it was explained to us that they fear the risk of an attack: they have experience of war, of being attacked, and that they would propose to move out equipment and people and documents in case of need.

The helicopter was used on the third day of our tour in order to enable us to see in one day the plants of Taechon, Pakchon and Pyangson.

-Question (not audible on tape)

Dr. Blix: We did not see anything stored there at all. They were huge. No, we saw no weapons. We did not go through them all, though.

-Question (not audible on tape)

Dr. Blix: We will have meetings with some of the leaders of the Chinese nuclear power programme this afternoon so I cannot say much about what we will talk about, but we have extensive relations with our Chinese hosts and I have myself visited both the Qinshan and the Daya Bay plant and we are trying particularly to be of assistance in the field of training and safety and safety regulations, and we know that they are rather slowly and cautiously expanding their nuclear programme. They have put the Qinshan plant into operation and the Daya Bay plant will go into

0108

operation, I think, next year. So we have a very close co-operation with China in this field.

Thank you very much.

920526 jp

0109

공　　　란

공   란

공　　　란

공   란

공   란

공   란

공   란

공 란

공 란

공 란

공   란

공   란

공   란

공   란

공　　　　　　란

공 란

공   란

공 란

공   란

공   란

공   란

공   란

공   란

공   란

공   란

공   란

공   란

공   란

공　　　　　　　란

공   란

공 란

공　　　　란

정 리 보 존 문 서 목 록

기록물종류	일반공문서철	등록번호	2020040025	등록일자	2020-04-03
분류번호	726.63	국가코드		보존기간	영구
명 칭	IAEA(국제원자력기구)의 대북한 핵시설 사찰, 1992. 전6권				
생 산 과	국제기구과/북미2과	생산년도	1992~1992	담당그룹	
권 차 명	V.5 6-8월				
내용목차	* 5.25-6.5 제1차 임시사찰 6.10 Blix 사무총장 비공식 브리핑 개최 7.6-20 제2차 임시사찰 9.1-11 제3차 임시사찰				

0001

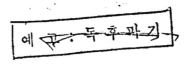

'92 - 제328호

국제사찰에 대한 도전 (로동신문 논평)

(92. 6. 8. 09:40. 중방)

최근 남조선당국자들은 외세와 야합하여 우리의 핵문제를 걸고 강경조치요 뭐요 하면서 새로운 소동을 일으키고 있다.

남조선 당국자들은 미국. 일본 상전들과의 3각안보실무자회의와 남북관계 고위전략회의를 벌인다, 국무총리의 전화통지문을 보낸다, 고위급회담 남측 대변인의 그 무슨 대북성명이라는 것을 발표한다 하고 부산을 피웠다.

이것은 우리에 대한 또 한차례의 악랄한 도발행위요, 북남합의서와 비핵화 공동선언의 이행을 포기하고 북남관계를 불신과 대결의 원점으로 되돌려 세우려는 고의적인 범죄적 책동이다.

남조선당국자들이 아무런 문제로도 되지 않는 우리의 핵문제를 걸고 드는 것 부터가 생억지이다. 우리에게 핵무기가 없으며 그것을 개발할 의사도 능력 도 없다는 것은 세상이 다 아는 사실이다.

우리는 시종일관 조선반도의 평화와 비핵화, 나라의 평화통일을 염원하고 있으며 그 실현을 위하여 성의있는 모든 노력을 다하고 있다.

- 1 -

0002

조선반도에서 핵위협을 조성하며 비핵화에 장애를 가로 지르고 있는 것은 다름아닌 미국과 남조선당국자들이다. 남조선에 숱한 핵기지와 핵저장고들을 설치하고 핵무기를 배비하고 있는 것도 미국과 남조선당국자들이며 그에대한 전면 동시사찰을 반대하는 것도 미국과 남조선당국자들이다.

그들이 핵부재선언이라는 것을 하였는데 남조선에 핵무기가 없다는 것이 사실이라면 무엇때문에 전면 핵동시사찰을 거부해 나서는가, 그들이 남조선에 있는 미군의 핵기지 핵무기를 사찰대상에서 제외하려고 그처럼 애쓰는 것도 뒤가 켕겨서 하는 짓이다,

사실은 이러한데 남조선당국자들이 우리의 핵문제를 걸고 소동을 피우는 것은 도적이 매를 든다는 속담 그대로이다. 더우기 남조선당국자들의 소동이 우리의 핵시설에 대한 국제원자력기구의 사찰이 진행되고 있는 것과 때를 같이하고 있는것이 주목을 끌고 있다.

알려진 바와 같이 지금까지 미국과 남조선당국자들은 사찰문제를 국제원자력기구의 사찰을 받도록 우리에게 압력을 가하기 위한 일종의 주패장으로 삼아 왔었다.

그런데 지금 우리의 핵시설에 대한 국제원자력기구의 사찰이 진행되고 있다. 남조선당국자들은 국제원자력기구에 의한 사찰로 우리에 대한 핵사찰 문제가 무난히 처리되는 것을 몹시 두려워 하고 있다.

그것은 이 경우 그들이 여지껏 미.일 과 함께 국제여론 앞에 북의 핵무기 개발이라는 날조된 모략을 꾸며온 내막이 까밝혀지기 때문이다.

- 2 -

0003

이로부터 남조선당국자들은 선손을 써서 북남관계를 악화시킴으로서 우리에 대한 국제핵사찰 결과를 희석시키고 그 무슨 특별사찰의 구실을 마련해 보려 하고 있는 것이다.

이것은 국제원자력기구의 권능을 무시하고 그에 도전하는 파렴치한 행위이다 남조선당국자들의 이 모든 행동은 누구의 공감도 사지 못할 부질없는 짓이다. 미.일.남조선의 공모결탁으로 벌어지는 우리에 대한 도발적인 핵소동은 조선반도의 평화와 당면하여 일정에 오른 노부모방문단 교환 사업을 비롯한 북남관계 전반에 엄중한 후과만을 초래 할뿐이다.

남조선당국자들은 구태의연한 대결자세를 버리고 화해 단합의 길로 돌아서야 하며 모략적인 핵소동을 지체없이 거둬치워야 한다. 남조선당국자들이 진정으로 조선반도의 핵문제를 해결하는데 관심이 있다면 남조선에 있는 미국의 핵기지 핵무기에 대한 사찰을 받아 들이고 조선반도의 비핵화를 실현할 용단을 내려야 한다.

- 3 -

0004

발 신 전 보

WAV-0884   920608 1912 CO

번   호 : _____   종별 : _____

수   신 : 주 오스트리아   대사. /총영사

발   신 : 장 관 (국기)

제   목 : IAEA 사무총장 비공식 브리핑

대 : AVW-0885

1. 대호 표제 브리핑이 북한에 대한 임시사찰 직후 실시되는 만큼 국내 언론의 관심이 매우 높은 바, 아래사항에 대해 IAEA 사무국에 파악 보고바람.

　　　　가. 동 브리핑에 참석할 수 있는 범위(이사국만인지 또는 전 회원국 대표가 대상인지)

　　　　나. 취재기자들이 브리핑 장소에 들어 갈 수 있는지 여부

　　　　다. 브리핑 실시시 방북 임시사찰단의 사찰결과에 대해서도 언급될 것인지

2. 본부의 국내 언론에 대한 설명에 필요하니 동 브리핑 청취후 결과를 가능한 조속히 보고바라며, 동 내용이 국내 언론에 공개될 수 있을 것임에 대하여도 IAEA 사무국측에 사전 양해를 구해두기 바람. 끝.

　　　　　　　　　　　(국제기구국장   김 재 섭)

앙고재	92년 6월 8일	국제기구과	기안자 성명 신종이		과장	심의관	국장		차관	장관	외신과통제

0005

외 무 부

종 별 :

번 호 : AVW-0932

일 시 : 92 0609 2000

수 신 : 장관(국기,미이,정특,과기처)

발 신 : 주 오스트리아 대사

제 목 : IAEA 사무총장 비공식 브리핑

대:WAV-0884

연:AVW-0881,0885

대호 당관이 파악한바를 하기 보고함.

1. 동 브리핑은 IAEA 회원국 대표를 대상으로 한 비공개 브리핑으로서, 취재기자들은 브리핑 장소에 들어갈수 없음.

2. 금번 북한 임시 사찰 결과는 SAFEGUARDS CONFIDENTIAL 이므로 공개되지 않을것이며 연호 TRAVEL REPORT 도 현재로서는 배포하지 않을 방침이라함.

3. IAEA 대변인실에 의하면 비공개 브리핑 내용에 대하여는 관례에 따라 기자들에게 DEBRIEFING 또는 보도자료를 배포하지 않을것이라함.

4. 대호 2 항 관련 IAEA 대변인실에 설명해 두었음.

(대사 이시영-국장)

예고: 92.6.30 까지

국기국   미주국   외정실   과기처

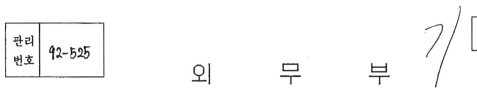

관리 번호	92-525

외 　 무 　 부

종 　 별 :

번 　 호 : AVW-0933　　　　　　　　　일 　 시 : 92 0609 2000

수 　 신 : 장관(국기)

발 　 신 : 주 오스트리아 대사

제 　 목 : 북한 임시 사찰단 귀임

　　연:AVW-0838

　　1. 연호 임시 사찰단은 예정대로 2 주간의 사찰 일정을 마치고 지난 주말 귀임하였음을 확인함.

　　2. 명 6.10 사무총장 브리핑후 THEIS 과장을 만날 예정임.끝

　　(대사 이시영-국장)

　　예고: 92.12.30 일반

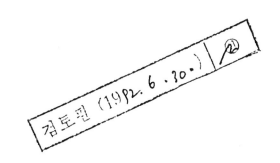

국기국　　　안기부

^^BC-South Korea-Nuclear
^EC to Make Nuclear Inspections Condition for Ties With North Korea<
        SEOUL, South Korea (AP) - The European Community has made
inter-Korean nuclear inspections a precondition for improving
relations with Communist North Korea, officials said Wednesday.
        It was the first time the EC stated its official position on
North Korea's controversial nuclear programs, which is suspected of
being for weapons development.
        A Foreign Ministry official said the EC's 12 nations shared the
view in a Brussels meeting last week and delivered the message to
Kim Ho-rim, head of the European division at the North Korean
Foreign Ministry.
        Speaking on condition of anonymity, the official said the EC has
told North Korea that improvement in relations is possible with
progress in inspections of the North Korean nuclear facilities.
        He said of the 12 nations, Denmark and Portugal have already
opened diplomatic ties with North Korea, but the other 10 nations
attach great importance to the inspection for improving future
relations.
        The 12 nations agreed that not only inspections by the
International Atomic Energy Agency, but also mutual inspections by
North and South Korea, were prerequisites to better relations, he
said.
        The U.N. agency has just completed its first inspection of the
North's secretive nuclear facilities, but inter-Korean talks to
conduct mutual inspections have bogged down.
        The two Koreas adopted a nuclear arms ban treaty in February,
but remain widely apart on how to carry out the inspections. The
North has refused the South's demand to see its military bases.
        South Korea and Western nations, notably the United States, have
said inter-Korean inspections are necessary because IAEA inspections
are not thorough enough.
        IAEA inspections are carried out only on sites reported by the
host nation. The North has said its nuclear facilities are only for
peaceful purposes.
        In addition to stressing the need for comprehensive inspections
of the North's nuclear facilities, the EC demanded that North Korea
improve its human rights situation, renounce terrorism and ban
exports of arms, including missiles, to Third World nations as
preconditions for upgraded relations, the official said.

AP-TK-10-06-92 0620GMT<

1

IAEA 北韓 核시설 비디오 궁개

(빈=聯合) 洪成杓특파원 = 국제원자력기구(IAEA)는 10일 오후(한국시간 10일 밤) 빈의 IAEA본부에서 北韓이 건설중인 核재처리 궁장 및 北韓의 주요 核시설을 담은 비디오를 IAEA 全회원국에 최초로 궁개할 예정이다.

지난 5월 한스 블릭스 IAEA 사무총장의 核시설 사찰시 北韓측이 촬영, IAEA가 편집한 12분 길이의 이 테이프에는 「방사화학실험실」로 신고된 재처리 시설 및 건설중인 대규모 핵발전소의 내.외부, 운전기기 모습 등이 모두 포함돼 있는 것으로 알려졌는데 北韓 주요 핵시설이 세부적으로 외부에 궁개되는 것은 이번이 처음이다.

블릭스 사무총장은 또 자신의 對北 시찰에 관한 보고를 통해 北韓이 실험용이라고 주장하는 방사화학 실험실은 설계대로 완궁될 경우 대형 재처리 궁장이 될 것임을 재차 확인할 것으로 보인다고 IAEA 한 관계자는 밝혔다.

그러나 빌리 타이스 IAEA 사찰국 제3과장의 지휘하에 지난 6일 완료된 對北 최초사찰 결과는 이날 설명회에서 일단 보고되지 않는 것으로 알려졌다.

한편 IAEA 관계자는 IAEA가 회원국 핵시설이 비디오 테이프를 외부에 궁개하는 것은 극히 이례적인 일이라고 설명했다.(끝)

(YONHAP) 920610 0558 KST

2

0009

외 무 부

종 별 : 긴 급

번 호 : AVW-0937　　　　　　　　　　　　일 시 : 92 0610 2130

수 신 : 장관(국기,미이,정븍,기정,과기처)사본;주미,일,호,카나다,영대사-중계

발 신 : 주오지리 대사　　　사본:과기처 장관(주 헝가리 대사관 경유-중계필)

제 목 : IAEA 사무총장브리핑(북한핵문제)

연:AVW-0932

대:WAV-0884

　　　연호 BLIX 사무총장의 비공시 브리핑이 예정대로 6.10(수)15:00 부터 약 2 시간 IAEA 이사회장에서 개최된바, 북한 관련 부분 요지 아래 보고함. (본직등대부분의 이사와 당지 상주 대표 및 북한 윤호진등 관계관 참석)

　　1. 방북내용소개

　　가. 사무총장은 자신의 방북 내용이 이미 5.15 자 IAEA 프레스릴리스 및 5.16 자 북경 기자회견으로 통해 알려진바 있음을 상기시킨후 4.10 핵안전협정 발효 이후 북한측의 최초 보고서 조기 제출 사실, 자신의 방북일정, 수행원 명단,방북중 IAEA 측이 요청한 시설은 모두 방문했다는 사실등을 설명함.

　　나. 방북중 방문 시설로 5MWE 실험용 POWER PLANT, 50MWE POWER PLANT (건설중), FUEL ROD FABRICATION PLANT, FUEL ROD STORAGE, 방사화학 실험실 ISOTOPE PROCESSING LABORATORY, 지하터널, U ORE CONCENTRATE PILOT PLANT 등을 열거함.

　　2. 북한의 원자력 사업 개요

　　가. 북한의 원자력 사업은 전력 수요 에너지원의 다변화등에 따른 기본적 필요에 기초, 농축, 중수로 분야등에 있어서의 기술면, 공급 보장면에서의 제약 때문에 자체 조달이 가능한 천연 우라늄과 GRAPHITE 등을 이용한 NATURAL URANIUM-FUELLED, GAS-COOLED, GRAPHITE-MODERATED 원자로 방식을 채택한것이며, 이는특히 북한이 내세우고 있는 자주(SELF-RELIANCE) 원칙에 입각한 것이라는 설명이었다함.

　　나. 현재 상기 원자로 방식에 따른 5MWE 실험용 원자로가 85 년 부터 LOADED 되어 가동중이며 50MWE 및 200 MWE 원자로가 건설중이라함.

　　다. 상기 원자로 방식은 50 년대 영국, 프랑스 등의 경우에서 본바와 같이

국기국	장관	미주국	외정실	분석관	청와대	안기부	과기처	중계

PAGE 1　　　　　　　　　　　　　　　　　　　92.06.11　　08:21

효율성이 없다는 지적에 대해 북한측은 여타 원자로 방식의 경우에 따를 기술 및핵 물질면에서의 공급 보장 문제에 상당한 우려를 보였다함.

3. " 방사화학 실험실"문제

가. 북한의 자생적 원자로 방식에 따른 핵 연료 주기 완성 노력 일환으로 핵 재처리 능력을 갖춘 방사화학 실험실을 건설케 되었으며, 동 시설은 대규모이나(FAIRLY LARGE)아직 완공되지 않고 실험에만 사용되었다는 이유에서 북한측은 실험실로 분류하였다함.

나. 또한 북한측은 재처리 능력 개발 결정은 앞으로 BREEDER REACTOR 및 MOX 연료에의 이용을 위한것이라고 설명하였으나 BREEDER REACTOR 연구 사업의 추진 정도는 매우 초보적이었다함.

다. 이른바 방사화학실험실은 아직 완공되지 않았으며 약 10 일전 최초 사찰팀이 방문했을때도 공사가 진행되지 않고 있었다함.

라. 동 시설은 1990 년에 사용 소량의 플로토늄(그람단위)을 추출하였는바 금번 최초 사찰팀 방북시 분석을 위해 표본을 가지고 온바 있다함. (Sample)

4. 북한 핵시설 공개 문제

가. 방북중 북한 당국자들에게 국제사회의 지대한 관심에 비추어 북한측이 스스로 북한의 핵시설 전모를 대외 공개하는것이 그들의 이익에도 부합하것이라고 개방(OPENNESS) 의 중요성을 강조하고 특히 북한측이 신고치 않은 시설일경우라도 IAEA 의 관리(OFFICIAL)들이 요청하는 경우 방문을 허용토록 촉구한바있다함.

나. 이에 대히 북한측도 그 이점을 납득하는 태도였으며 이에따라 방문결과PRESS RELEASE (5.15 자)상에 나타난 바와같이 북한측이 IAEA 관리의 모든 희망 시설 방문 허용 용의 표명이 있었다함.

5. 임시사찰 활동

가. IAEA 임시사찰단이 최최보고서와 설계 정보 검증을 위해 5.25-6.5 간 북한을 방문 사찰을 실시하였으며, 동 사찰단은 플로토늄 분리에 사용된 SPENT FUEL 이 나온 5MW 실험용 발전 원자로의 운전기록(OPERATION RECORDS)검사, 수개의 미신고 시설방문, 표본채취, 사찰에 필요한 봉인, 감시장치 설치등의 활동을 하였다함.

나. 북한의 최초 보고서, 설계정보, 사무총장방문, 제 1 차 임시사찰결과등을 평가 분석중이며, 수주내에(IN A FEW WEEKS)사찰단을 다시 파견할 예정이러.

다. 북한과의 핵안전협정 이행을 위한 보조 약정은 7.10 시한내에

PAGE 2

0011

체결할수있을것으로 보며, 그때까지는 사찰 대상 시설부록(FACILITY ATTACHMENT)도
완성될 것으로 본다함.

6. 대북한 기술협력

가. 방북중 북한측에 대해안전조치 문제 외에도 원자로안전(NUCLEAR SAFETY),
방사능방호(RADIOACTIVE PROTECTION)분야등에 있어서의 IAEA 측의 대북한 기술협력
지원 용의를 표명한바 있음.

나. 또한 북한측 원자로 방식을 보다 효율적인 여타 원자로 방식으로 전환하는
문제등 에너지 개발계획(ENERGY PLANNING)분야에있어서의 지원 용의도 표명한바,
북한측은 긍정적 반응을 보였다함.

7. 질의응답

가. 사무총장의 상기 북한 방문 내용 설명에 이어 VIDEO 상영(약 12 분)이 있은후
질의 응답이 있었는바, 본직은 사무총장에게 하기 사항에 대한 해명을 요청하였음.8.
결론....., 이하 AVW-0941 호에 계속됨

PAGE 3

0012

외 무 부

종 별 : 긴 급

번 호 : AVW-0940

일 시 : 92 0610 2130

수 신 : 장관

발 신 : 주 오스트리아 대사

제 목 : AVW-0937 호의 계속

보통문서로 재분류(199ㄴ(ㄴ))

8. 결론

가. 북한핵 개발에 대한 우려(CONCERN)가 아직 남아 있는것은 사실이나, 그동안 비준, 방북, 사찰등의 과정을 거쳐 전혀 알려지지 않았던 북한 핵시설에대한 지식 확보와 개방성 방향으로 일보 전진한것으로 평가함.

나. 다만 완전한 개방성(OPENNESS)만이 의혹의 불식과 신뢰조성에 이바지할것이므로 북한측에게 자발적으로 투명성 제고 노력을 촉구했으며, 금번 사찰결과 표본등에 대한 철저한 분석을 하는 동시 사찰팀을 파견하여 사찰을 계속 하고자함.

9. 이시영 대사 질문에 대한 사무총장 답변

(1) 북한 핵개발의혹 관련 현재까지 확인된 확실한 사실이 두가지 있는바, 첫째는 북한이 핵재처리 과정을 거쳐 이미 플로토늄을 추출 했으며

둘째 핵재처리 공장에 해당하는 시설이 건설중에 있다는 사실임

(2) 이두가지 사실을 토대로 반드시 규명되어 할 3점들이 대두되는바 그첫째는 북한측의 프로토늄 생산이 일회에 한한것인지 그동안 계속 추출해 왔는지 여부임

(3) 남북한 한반도 비핵화 공동선언에 의해 남북한은 핵 재처리 및 우라늄농축시설을 갖지 않기로 되어 있는데 북한이 건설중인 방사화학 연구소가 북한측 주장대로 실험시설 규모인지, 본격적인 플로토늄 생산 규모인지가 사찰 결과 밝혀졌는지 여부

(4) 또한 방사화학연구소 방문중 공사가 진행되고 있지 않았다고 하였는데 동 연구소 건설을 완전히 중단하였는가 또는 일시 공사를 중지하였으나 앞으로 건설을 계속 추진할 것으로 보는지 여부(이는 남북 비핵선언 위반여부를 가름하는 중요한 요소임을 강조)

(5)본격적인 재처리 시설 건설을 위하여는 그 중간 단계로 PILOT PLANT 를

국기국   장관   미주국   분석관   청와대   안기부

92.06.11   07:22

외신 2과 통제관 BN
0013

거치는것이 통례인바, 북한측은 재처리 실험 단계에서 중간 단계인 PILOT PLANT 단계를 거치지 않고 산업적 재처리 시설 건설로 뛰어 넘어간 점에 대해 기술적면에서 북한측으로 부터 납득할수 있는 설명이 있었는지 여부

(6) BREEDER REACTOR 및 MOX FUEL 분야의 북한의 현재 수준은 원초적인데 불과하다는 평가에 비추어 볼때 수십년 후에나 필요하게될 프로토늄 생산을 위하여 현재 대규모 재처리 시설 건설에 착수한것을 정당화하는 어떤 설명이 있었는지 여부

(7) 소위 방사화학 실험실의 장비들을 외부로 이동시켜 은익시킨 흔적유무를 사찰팀이 검증할수 있었는지 여부

(8) 북한측이 제출한 최초보고서가 완전한것(COMPLETENESS)로 보는지 및 추가로 신고한 사항이나 설계 정보가 있었는지 여부

나. BLIX 총장은 상기 본직의 질문에 대해 하기와 같이 답변하였음.

(1) 소위 방사화학 실험시설을 자신의 방문중 공사가 진행되고 있지 않고있었고 장비도 미비한 상태였으며 금번 임시 사찰단의 방문중에도 공사가 진행되지않고 있었으나 현재로선 건설이 완전히 중단하였는지 여부 또는 프로토늄 생산이 계속될 것인지 여부에 관해 판단할 근거가 없음.

(2) 소위 방사화학실험실은 규모로 보아서는 본격적인 생산 시설(PLANT)이라고 보며, 북한측은 지금까지 실험용으로 밖에 사용하지않고 또한 가동되지 않고있다는 이유에서 실험실 이라는 명칭을 주장하고 있는것 갈다고 하였음.

(3) 중간 단계가 없는 점과 관련, 북한측은 건설 시작전에 3 차례에 걸친 설계 연구 과정을 거쳤으며 자체적 개발 계획상 부득이 했다는등 막연한 설명을 하였으나 서방 전문가의 상식과 경험에따르면 매우 비정상적인 것으로(HIGHLY UNUSUAL) 납득하기가 어려운것도 사실임.

(4) 자신으로서는 북한의 BREEDER REACTOR 의 연구 수준등에 비추어 플로토늄 생산 및 핵 재처리 시설이 당장 필요 한것인지 납득이 안되며, 북한측에 대하여 프로토늄 생산은 안전조치 적용을 받더라도 외부 세계의 우려를 없애지는 못할것이며 북한이 핵재처리 계획을 계속 추진하는 경우 외부 세계의 반발을 불러 일으킬수 있음을 거듭 강조하여 지적하였음.

(5) 이에때해 북한측으로부터 앞으로 북한측의 원자력 사업 추진에 재처리시설의 보유가 필수불가결 한것은 아니라는 태도를 감지할수 있었으며 북한측은 경수로 분야에 관심을 보이고 이에대한 IAEA 측의 지원 가능성도 문의하였다함.

PAGE 2

0014

(6) 방사화학 연구소의 장비 외부 이동 , 은닉 여부에대해 현재로서 답변하기가 이르며, 금번 사찰 결과의 철저히 분석이 필요하다고봄.

(7) 북한측은 사찰팀 의 권유로 당초 최초 보고서에 포함치 않았던 이산화 우라늄(UO2) 에 대해 추가로 최초 보고서에 포함시켰다함.

10. 금번 사무총장의 비공시 브리핑에서는 북한 핵문제 외에도 IAEA 의 재정 상태,93/94 사업계획 및 예산, 안전조치 강화, 리오 환경개발회의 참석보고, 12 차에 걸친 대이락 사찰 경과, 트리에스테 소재 국제이론물리학 센터 운영 이양, 동구 원자로 안전문제등에 대해서 총장의 보고가 있었음.

11. 금일 비데오 상영은 방북중 북한측이 촬영 제공한 필름을 IAEA 측이 시설 방문 중심으로 재편집한 내용(약 12 분)이며 당관 협조로 동 테이프를 입수하여 KBS, MBC, SBS 특파원들이 인공위성으로 본사에 송신한바 있음. 끝

(대사 이시영-국장)

예고 92.12.31 까지

관리 번호	92 -763

외　무　부

종　별 : 긴 급

번　호 : AVW-0937　　　　　　　　　　　일　시 : 92 0610 2130

수　신 : 장관(국기,미이,정특,기정,과기처)사본;주미,일,호,카나다, 영대사-중계

발　신 : 주오지리 대사　　　사본:과기처 장관(주 헝가리 대사관 경유-중계필)

제　목 : IAEA 사무총장브리핑(북한핵문제)

연:AVW-0932

대:WAV-0884

검토필 (1992.6.30.)

연호 BLIX 사무총장의 비공식 브리핑이 예정대로 6.10(수)15:00 부터 약 2 시간 IAEA 이사회장에서 개최된바, 북한 관련 부분 요지 아래 보고함. (본직등대부분위 이사와 당지 상주 대표 및 북한 윤호진등 관계관 참석)

① 방북내용소개

〈가〉 사무총장은 자신의 방북 내용이 이미 5.15 자 IAEA 프레스릴리스 및 5.16 자 북경 기자회견으로 통해 알려진바 있음을 상기시킨후 4.10 핵안전협정 발효 이후 북한측의 최초 보고서 조기 제출 사실, 자신의 방북일정, 수행원 명단,방북중 IAEA 측이 요청한 시설은 모두 방문했다는 사실등을 설명함.

〈나〉 방북중 방문 시설로 5MWE 실험용 POWER PLANT, 50MWE POWER PLANT (건설중), FUEL ROD FABRICATION PLANT, FUEL ROD STORAGE, 방사화학 실험실 ISOTOPE PROCESSING LABORATORY, 지하터널, U ORE CONCENTRATE PILOT PLANT 등을 열거함.

② 북한의 원자력 사업 개요

〈가〉 북한의 원자력 사업은 전력 수요, 에너지원의 다변화등에 따른 기본적 필요에 기초, 농축, 중수로 분야등에 있어서의 기술면, 공급 보장면에서의 제약 때문에 자체 조달이 가능한 천연 우라늄과 GRAPHITE 등을 이용한 NATURAL URANIUM-FUELLED, GAS-COOLED, GRAPHITE-MODERATED 원자로 방식을 채택한것이며, 이는특히 북한이 내세우고 있는 자주(SELF-RELIANCE) 원칙에 입각한 것이라는 설명이었다함.

〈나〉 현재 상기 원자로 방식에 따른 5MWE 실험용 원자로가 85 년 부터 LOARDED 되어 가동중이며 50MWE 및 200 MWE 원자로가 건설중이라함.

〈다〉 상기 원자로 방식은 50 년대 영국, 프랑스 등의 경우에서 본바와 같이

국기국	장관	미주국	외정실	분석관	정와대	안기부	과기처	종계

0016

PAGE 1　　　　　　　　　　　　　　　　　　92.06.11　08:21

외신 2과 통제관 BX

효율성이 없다는 지적에 대해 북한측은 여타 원자로 방식의 경우에 따를 기술 및핵 물질면에서의 공급 보장 문제에 상당한 우려를 보였다함.

③ " 방사화학 실험실"문제

<가> 북한의 자생적 원자로 방식에 따른 핵 연료 주기 완성 노력 일환으로 핵 재처리 능력을 갖춘 방사화학 실험실을 건설케 되었으며, 동 시설은 대규모이나(FAIRLY LARGE)아직 완공되지 않고 실험에만 사용되었다는 이유에서 북한측은 실험실로 분류하였다함.

<나> 또한 북한측은 재처리 능력 개발 결정은 앞으로 BREEDER REACTOR 및 MOX 연로에의 이용을 위한것이라고 설명하였으나 BREEDER REACTOR 연구 사업의 추진 정도는 매우 초보적이었다함.

<다> 이른바 방사화학실험실은 아직 완공되지 않았으며 약 10 일전 최초 사찰팀이 방문했을때도 공사가 진행되지 않고 있었다함.

<라> 동 시설은 1990 년에 사용 소량의 플로토늄(그람단위)을 추출하였는바 금번 최초 사찰팀 방북시 분석을 위해 표본을 가지고 온바 있다함.

④ 북한 핵시설 공개 문제

<가> 방북중 북한 당국자들에게 국제사회의 지대한 관심에 비추어 북한측이 스스로 북한의 핵시설 전모를 대외 공개하는것이 그들의 이익에도 부합하것이라고 개방(OPENNESS)의 중요성을 강조하고 특히 북한측이 신고치 않은 시설일경우라도 IAEA 의 관리(OFFICIAL)들이 요청하는 경우 방문을 허용토록 촉구한바있다함.

<나> 이에 대히 북한측도 그 이점을 납득하는 태도였으며 이에따라 방문결과PRESS RELEASE (5.15 자)상에 나타난 바와같이 북한측이 IAEA 관리의 모든 희망 시설 방문 허용 용의 표명이 있었다함.

⑤ 임시사찰 활동

<가> IAEA 임시사찰단이 최최보고서와 설계 정보 검증을 위해 5.25-6.5 간 북한을 방문 사찰을 실시하였으며, 동 사찰단은①플로토늄 분리에 사용된 SPENT FUEL 이 나온 5MW 실험용 발전 원자로의 운전기록(OPERATION RECORDS)검사, ②수개의 미신고 시설방문,③표본채취,④사찰에 필요한 봉인, 감시장치 설치등의 활동을 하였다함.

<나> 북한의 최초 보고서, 설계정보, 사무총장방문, 제 1 차 임시사찰결과등을 평가 분석중이며, 수주내에(IN A FEW WEEKS)사찰단을 다시 파견할 예정이러.

<다> 북한과의 핵안전협정 이행을 위한 보조 약정은 7.10 시한내에

체결할수있을것으로 보며, 그때까지는 <u>사찰 대상 시설부록(FACILITY ATTACHMENT)</u>도
<u>완성될 것으로 본다함</u>.

⑥ 대북한 기술협력

<가> 방북중 북한측에 대해안전조치 문제 외에도 원자로안전(NUCLEAR SAFETY),
방사능방호(RADIOACTIVE PROTECTION)분야등에 있어서의 IAEA 측의 대북한 기술협력
지원 용의를 표명한바 있음.

<나> 또한 북한측 원자로 방식을 보다 효율적인 여타 원자로 방식으로 전환하는
문제등 에너지 개발계획(ENERGY PLANNING)분야에있어서의 지원 용의도 표명한바,
북한측은 긍정적 반응을 보였다함.

⑦ 질의응답

가. 사무총장의 상기 북한 방문 내용 설명에 이어 VIDEO 상영(약 12 분)이 있은후
질의 응답이 있었는바, 본직은 사무총장에게 하기 사항에 대한 해명을 요청하였음.8.
결론....., 이하 AVW-0941 호에 계속됨

<table>
<tr><td>관리
번호</td><td>92
-765</td></tr>
</table>

외 무 부

종 별 : 긴 급

번 호 : AVW-0940 　　　　　　　　일 시 : 92 0610 2130

수 신 : 장관　　　미이

발 신 : 주 오스트리아 대사

제 목 : AVW-0937 호의 계속

⑧ 결론　　　　　　　　검토필(19○ㅇ.6.ㅇㅇ.)'3

<가> 북한핵 개발에 대한 우려(CONSERN)가 아직 남아 있는것은 사실이나, 그동안 비준, 방북, 사찰등의 과정을 거쳐 전혀 알려지지 않았던 북한 핵시설에대한 지식 확보와 개방성 방향으로 일보 전전한것으로 평가함.

<나> 다만 완전한 개방성9ZOPENNESS)만이 의혹의 불식과 신뢰조성에 이바지할것이므로 북한측에게 자발적으로 투명성 제고 노력을 촉구했으며, 금번 사찰결과 표본등에 대한 철저한 분석을 하는 동시 사찰팀을 파견하여 사찰을 계속 하고자함.

(1) 북한 핵개발의혹 관련 현재까지 확인된 확실한 사실이 두가지 있는바, 첫째는 북한이 핵재처리 과정을 거쳐 이미 플로토늄을 추출 했으며

둘째 핵재처리 공장에 해당하는 시설이 건설중에 있다는 사실임

(2) 이두가지 사실을 토대로 반드시 규명되야 할 점들이 대두되는바 그첫째는 북한측의 프로토늄 생산이 일회에 한한것인지 그동안 계속 추출해 왔는지 여부임

(3) 남북한 한반도 비핵화 공동선언에 의해 남북한은 핵 재처리 및 우라늄농축시설을 갖지 않기로 되어 있는데 북한이 건설중인 방사화학 연구소가 북한측 주장대로 실험시설 규모인지, 본격적인 플로토늄 생산 규모인지가 사찰 결과 밝혀졌는지 여부

(4) 또한 방사화학연구소 방문중 공사가 진행되고 있지 않았다고 하였는데 동 연구소 건설을 완전히 중단하였는가 또는 일시 공사를 중지하였으나 앞으로 건설을 계속 추진할 것으로 보는지 여부(이는 남북 비핵선언 위반여부를 가름하는 중요한 요소임을 강조)

(5)본격적인 재처리 시설 건설을 위하여는 그 중간 단계로 PILOT PLANT 를

국기국　　장관　　미주국　　분석관　　청와대　　안기부

거치는것이 통례인바, 북한측은 재처리 실험 단계에서 중간 단계인 PILOT PLANT 단계를 거치지 않고 산업적 재처리 시설 건설로 뛰어 넘어간 점에 대해 기술적면에서 북한측으로 부터 납득할수 있는 설명이 있었는지 여부

　(6) BREEDER REACTOR 및 MOX FUEL 분야의 북한의 현재 수준은 원초적인데 불과하다는 평가에 비추어 볼때 <u>수십년 후에나 필요하게될 프로토늄 생산을 위하여 현재 대규모 재처리 시설 건설에 착수한것을 정당화</u>하는 어떤 설명이 있었는지 여부

　(7) 소위 방사화학 실험실의 장비들을 외부로 이동시켜 은익시킨 흔적유무를 사찰팀이 검증할수 있었는지 여부

　(8) 북한측이 제출한 최초보고서가 완전한것(COMPLETENESS)로 보는지 및 추가로 신고한 사항이나 설계 정보가 있었는지 여부

　＜나＞ <u>BRLIX</u> 총장은 상기 본직의 질문에 대해 하기와 같이 답변하였음.

　(1) 소위 방사화학 실험시설을 자신의 방문중 공사가 진행되고 있지 않고있었고 장비도 미비한 상태였으며 금번 임시 사찰단의 방문중에도 공사가 진행되지않고 있었으나 현재로선 건설이 완전히 중단하였는지 여부 또는 프로토늄 생산이 계속될 것인지 여부에 관해 판단할 근거가 없음.

　(2) <u>소위 방사화학실험실은 규모로 보아서는 본격적인 생산 시설(PLANT)</u>이라고 <u>보며</u>, 북한측은 지금까지 실험용으로 밖에 사용핫 않고 또한 가동되지 않고있다는 이유에서 실험실 이라는 명칭을 주장하고 있는것 같다고 하였음.

　(3) <u>중간 단계가 없는 점과 관련</u>, 북한측은 건설 시작전에 3 차례에 걸친 설계 연구 과정을 거쳤으며 자체적 개발 계획상 부득이 했다는등 막연한 설명을 하였으나 <u>서방 전문가의 상식과 경험에따르면 매우 비정상적인 것으로(HIGHLY UNUSUAL)</u> 납득하기가 어려운것도 사실임.

　(4) 자신으로서는 <u>북한의 BREEDER REACTOR 의 연구 수준등에 비추어 플로토늄 생산 및 핵 재처리 시설이 당장 필요 한것인지 납득이 안되며</u>, 북한측에 대하여 프로토늄 생산은 안전조치 적용을 받더라도 외부 세계의 우려를 없애지는 못할것이 ㅕ 북한이 핵재처리 계획을 계속 추진하는 경우 외부 세계의 반발을 불러 일으킬수 있음을 거듭 강조하여 지적하였음.

　(5) 이에대해 <u>북한측으로부터 앞으로 북한측의 원자력 사업 추진에 재처리시설의 보유가 필수불가결 한것은 아니라는 태도를 감지할수 있었으며</u> 북한측은 경수로 분야에 관심을 보이고 이에대한 IAEA 측의 지원 가능성도 문의하였다함.

(6) 방사화학 연구소의 장비 외부 이동 , 은닉 여부에대해 현재로서 답변하기가 이르며, 금번 사찰 결과의 철저히 분석이 필요하다고봄.

(7) 북한측은 사찰팀 의 권유로 당초 최초 보고서에 포함치 않았던 이산화 우라늄(UO2) 에 대해 추가로 최초 보고서에 포함시켰다함.

10. 금번 사무총장의 비공시 브리핑에서는 북한 핵문제 외에도 IAEA 의 재정 상태,93/94 사업계획 및 예산, 안전조치 강화, 리오 환경개발회의 참석보고, 12 차에 걸친 대이락 사찰 경과, 트리에스테 소재 국제이론물리학 센터 운영 이양, 동구 원자로 안전문제등에 대해서 총장의 보고가 있었음.

11. 금일 비데오 상영은 방북중 북한측이 촬영 제공한 필름을 IAEA 측이 시설 방문 중심으로 재편집한 내용(약 12 분)이며 당관 협조로 동 테이프를 입수하여 KBS, MBC, SBS 북파원들이 인공위성으로 본사에 송신한바 있음. 끝

(대사 이시영-국장)

예고 92.12.31 까지

* MOX : mixer-Oxide
(혼합산화핵연료)
(UO2, Pu, PuO2 등이
혼합된 핵연료로서 신형원자로
또는 FBR의 연료임.

원 본

외 무 부

종 별 : 지급

번 호 : AVW-0938

일 시 : 92 0610 2130

수 신 : 장관(국기,미이,정특,과기처)사:과기처장관(주헝가리대사경유),주미

발 신 : 주오스트리아 대사

제 목 : 대북한 임시사찰

연:AVW-09371.

1. 금오후 본직은 BLIX 사무총장 및 JENNEKINS 안전조치(SAFEGNARDS)담당 사무차장및 THEIS 과장을 따로 만나 금번 임시 사찰 결과 및 금일 브리핑에서 본직의 질문에 대하여 답변이 미진했던 부분을 포함 의견 교환한바, 동 내용중 특이사항 아래와 같음.

가. 금번 임시 사찰팀에 대하여 북한측은 매우 협조적이었으며 기대이상의 적극성을 보였음

- 사찰팀이 요구하는 정보는 대부분 제공했으며, 예컨대 5MW 원자로의 운전기록(RECORD OF OPERATION)은 한글이었는바 사찰팀 요청에 대하여 그 이튿날까지 영역하여 제공했음 (이과정에서 북한의 퇴직 사찰관 박모의 도움을 많이 받았음)

- 임시사찰임에도 불구하고 사찰팀 요청에 응하여 방사화학시설 포함 원자로등의 요소에 봉인(SEAL)하는것과 일부 감사기재(SURVEILLANCE EQUIPMENT)의 설치에 동의했음 (따라서 다음 사찰시까지 봉인 부분의 변경은 불가능)

- 핵시설의 촬영 사진은 북한측이 보관토록 되어 있으나 보관용 캐비넷도 봉인했음 (다음 사찰시 시설의 변경 여부 검증 가능)

- 신고한 재고 목록과 시설정보중 부정확하거나 잘못된 부분을 지적한데 대하여 북한측은 일일히 보완.수정에 응했음.

나. 소위 방사화학 실험시설 (핵재처리 시설)은 그 설계로보아 이미 미국에서 공개 출판된 설계를 그대로 원용한것으로 보임.

다. 북한측 설명으로는 핵재처리시설의 공정이 공사 80%, 장비 40% 라고 하나 사찰팀 판단으로는 그보다 덜 진척 된것으로 보며, 특히 장비(EQUIPMENT)면에서는 가장중요 SENSITIVE 한 장비가 미비한것으로 보아 자체 제조가 불가능하여중단됐거나

국기국	장관	차관	1차보	미주국	외정실	분석관	과기처	중계
청와대	안기부							

해외에 주문중이던가 수입했는데 아직 미설치 상태일것으로 봄.

라. 시설 정보관련, 금번 사찰팀에 핵재처리 시설 사찰전문가(벨지움국적)를포함시키려했으나 북한측이 수락않으므로써 못 보냈으며, 다음 사찰팀에 동 분야 전문가를 포함 시킬 예정임.

마. 시설 정보는 금번에 검증을 못하여 핵재처리시설의 생산규모(CAPACITY)가 확실치는 않고 검토중이나 PILOT PLANT 단계보다 큰 규모임에는 틀림없음.

바. 사용 연료(SPENT FUEL)에서 EISSION MATERIAL 을 분리하고, 다시 나머지를 프루토늄과 우라늄으로 분리 하는 과정의 시설이 미비되었음. 또한 원격조정장치도 구식이었음.

사. 보조 약정은 일반사항 부분 초안을 북한측에 이미 보낸바 있으며 7.10 일까지 체결할 예정인바, 그와는 관계 없이 임시 사찰팀을 계속 해서 북한에 파견하여 사찰을 계속할것이며, 사찰팀 구성은 사찰의 성격상 기본적으로는 동일 사찰관을 보내되 필요에따라 특정분야 사찰관을 동행 시킬것임.

아. 방북 및 사찰과정에서 북한측이 핵 재처리시설을 필수적(INDISPENSABLE)이며 양보할수 없는 것이라고 보고 있지 않다는 인상을 받았으며 다른 발전용 원자로 개발에도많은 관심을 보였음.

2. 남북 비핵화 선언과 관련 JENNEKINS 차장은 동 선언상 핵재처리시설을 보유하지 않기로한 남북간 합의에 근거하여 앞으로 IAEA 사찰과정에서 북한측에 --키하여 동 합의 이행이나 위반에 관련된 질문을 하고 해명을 받을수 있는 기회가 있을것으로 본다고 말하였음.

3. 관찰, 건의

가. BLIX 사무총장의 방북후 기자회견 및 금일 브리핑(임시 사찰팀 귀임후)의 내용으로 보아 사무국측은 북한측이 현재까지 보인 태도를 매우긍정적으로 평가하고 금후 사찰과정을 철저히 함으로써 북한의 핵개발 의혹부분을 어느정도 해명하고 견제할수 있을것으로 생각하고 있는것으로 보임.

나. IAEA 사무국으로서는 북한 핵사찰을 봉하여 이락등 사태로 실추된 IAEA의 권위와 신뢰성을 회복코자하는 의욕이 엿보이며, 북한에 대하여 원자력 발전의 방향을 경제성과 효율성이 높은 경수로쪽으로 선회시키는데 IAEA 가 어떤 중간 역할을 할수 있을것으로 기대하고 있을 가능성도 보임.

다. 당관으로서는 금일 브리핑시 가장 중요한 의혹부분에 대한 질문을

제기함으로써

　1) IAEA 에의한 임시사찰과 사무총장 방북에도 불구, 북한 핵 개발의혹은 조금도 감소되지 않고 있음, 몇가지 주요(CRUCIAL)한 부분에대한 북한측 해명이 그러한 의혹해소에 전혀 도움이 안되고 있음을 부각시키고

　2) 특히 남북 비핵 선언의 합의 사항이 핵재처리시설 건설 사실의 확인에 의하여 공공연히 위반되고 있음을 인식시킴으로써 IAEA 차원뿐 아니라 남북한 차원에서도 북한의 핵재처리의혹이 규명되어야 하고 따라서남북상호 사찰이 필히 실현되어야할 당위성을 알리는 기회로 삼고자 하였음.

　라. 다만 카나다 등 일부 핵심우방국은 우선 임시사찰과 구뒤를 이을 일련의사찰과정이 진행되고 있으므로 그 결과의 윤곽이 들어나는 9 월 이사회까지는 기다려 보는것이순서이며, 특히 남북한 상호 사찰 문제는 IAEA 차원에서는 강하게제기하는데 한계가있다는 생각을 갖고 있어 핵심 우방 전략협의시 이문제가 다루어져야 할것으로 보임.

　마. 내주 이사회시 가급적 많은 이사국들의 발언이 요망되는바 EC 의 공동 보조가 매우 중요하다고 판단되므로 EC 가 기존입장에 입각하여 가급적 개별적으로 또는 EC 의장국이 대표로 우리 입장을 적극 대변해 주도록 본부 및 관계공관을 봉하여 교섭해 줄것을 건의함. 끝 (대사 이시영-국장)

　예고: 92.12.31 일반

IAEA 北韓 核사찰과 政府대책

周邊시설

"核무기 제조用 확실"

실험실로 보기엔 규모 방대

정부선 事故막은 「체르노빌型」에 우려

지난 5월 국제원자력기구(IAEA)의 北韓핵시설사찰단이 北韓寧邊의
SMW급 1호 원자력발전소의 核연료봉을 조사하고 있다. <KBS-TV촬영>

0025
0026

IAEA 사찰

중 앙 일 보 1992.6.11.(3면)

北韓核사찰과 政府대책

"核무기제조用 확실"

지난 5일 국제원자력기구(IAEA)의 北韓핵시설사찰팀 일行이 寧邊일대의 核관련시설들을 조사하고 있다. <KBS-TV화면>

[IAEA 사찰]

고속증식로 개발 착수

A사찰팀 확인 혼합연료 연구도 함께

"현재 核정책 계속 추진" 밝혀
東北亞안정에 위험 요소로

0027

北 核2중정책 인상

"非核선언 重大위반"
정부, 전면 상호사찰 月內관철 주력 키로

北 核개발 ●어느수준인가

焦点

5층높이 核시설 北韓이 국제원자력기구 사찰단에 공개한 寧邊의 대형 핵재처리시설 건설현장. 길이 1백80m, 5층 높이의 이 건물은 현재 80%의 외부공정을 보이고 있다. 〈KBS1TV화면 촬영〉

IAEA 사찰로 밝혀진 실태

플루토늄 추출 量·行方에 관심집중
泰川 2百메가와트 96년完工 목표
先進國서도 관례화된「중간단계」생략 가장 큰 의혹

0028

北, 核고속증식로 개발 착수

IAEA사찰팀 확인 혼합연료 연구도 함께

"현재 核정책 계속 추진" 밝혀

東北亞안정에 위협 요소로

0029

지난 5월중순 한스블릭스 —
IAEA사무총장의 北韓방문의
발문 관계자들로부터 설명을 듣고 있다.

北「核 2중정책」인상

非核선언 重大 위반

정부, 전면 상호사찰 月內관철 주력키로

정당
6/11

北韓의 非核化공동선언 위반

北韓의 核物質생산시설 보유가 국제 원자력기구(IAEA)의 사찰팀의 현지답사 촬영한 사진자료에 의해 명확한 사실로 확인됐다.

사찰팀이 이끌고 지난달 北韓을 방문 했던 한스 블릭스 IAEA사무총장의 30일 공식발표한 보고자료는 北韓의 寧邊과 泰川에 대규모의 핵시설을 가지고 있고, 그 가운데는 核再處理시설과 천연우라늄 원료시설이 포함돼 있음을 밝히고 있다. 이것은 北韓이 핵무기 원료 인 플루토늄과 高純度 우라늄을 생산할 수 있음을 의미한다. 이는 또한 核재처리시설과 우라늄농축시설을 보유하지 않는다는 韓半島 非核化선언에 명백히 위배되는 것이다.

北韓의 핵시설에 관한 IAEA사무총장의 보고는 몇가지 점에서 우리에게 깊은 우려를 갖게 한다.

첫째, 北韓이 연구용이라고 신고한 寧邊원자력연구소의 규모가 너무나 방대하여, 연구용 수준을 훨씬 초과하고 있다는 점이다. 이것은 北韓의 核의 평화적 이용을 위장하여 핵무기를 제작하려는 것이 아닌가하는 의심을 더욱 짙게 한다.

둘째, 이미 생산된 核物質의 양이 가늠이다. 사찰팀이 용도를 알 수 없는 지하터널을 발견했고, 몇이 들어있어야 할 핵연료저장고가 비어있음을 확인했다. 블릭스總長은 이것이 의미가능성을 시사하는 것임을 밝히고 있다.

셋째, 北韓의 핵시설이 너무 조잡하여 누출사고의 위험이 높다는 점이다. 공개된 자료를 검토한 전문가들이 이미 새어나오는 터빈에 붙어 北의 핵시설을 붙은 핵을 누출시킬 염려의 수준이라고 진단하고 있다.

이런 의문점들이 北韓이 연구용 실험실을 가장하여 핵물질 내지 핵무기를 생산하여 비밀장소에 감추고 있다는 우려와 함께 北韓에서 제2의 체르노빌사고가 일어날 수 있다는 위험성을 예고하는 것이다.

그 어느 것이나 民族의 안위와 이 지역의 평화, 그리고 核擴散을 막으려는 세계질서에 저촉되는 일임이 분명하다.

거듭 촉구하거니와 北韓은 IAEA에 의한 국제차원의 사찰에 성실히 임하면서 北韓이 합의된 非核化선언과 相互査察원칙에도 충실하여 조속히 남 北韓에 의한 현지사찰이 이뤄질수 있도 록 성의를 보여야 한다.

北韓이 평화적이고 공세하면서 민 족의 해결까지 않는 한 북한과의 관계 개선은 없을 것이라는 분명히 하고 있다. 北韓이 핵에 대한 사찰을 수용하고 핵의 평화적 이용과 완전한 안전을 위한 국제적인 北韓이 관계개선에 액탁게 추구하고

(EC) 12개국간 불도 核擴散문제가 말 끔히 해결되지 않는 한 북한과의 관계... 족의 번영을 추구하는 길은 核武器를 아니라 핵의 平和的 이용임은 자명하... 다. 북한은 핵무기 보유라는 허망한 꿈... 에서 하루빨리 벗어나야 한다.

기술지원을 받아야만 장래의 核災 왼 美國과 日本은 물론, 유럽공동체

실체 드러나는 北韓核

北韓核의 실체가 드러나기 시작했다. 北韓은 대형 핵재처리 시설을 건설중이며 소량의 플루토늄도 이미 추출했다. 물론 국제원자력기구(IAEA)의 北韓核사찰 전과정이 끝나지 않은 상태에서, 결론을 내리기는 어렵다. 그러나 위의 두가지 사실만으로도 北韓核문제에 대한 심각성을 준비해야 할 필요성을 갖게 한다.

北韓核에 관한 제1단계 조치는 사실확인이다. 제2단계 조치는 이 같은 查察과정에서 얻어진 결론을 토대로 반드시 강구해야 할 처리방안의 수립과 실천이다. 이제 北韓核문제의 안정과 실천은 물론 한반도의 안정과 실천에 크게 기여할 수 있는 계기가 찾아 올것이다.

그러나 우리는 그 반대의 경우를 걱정한다. 반대의 경우란 北韓核문제가 야기시킬수있는 긴장상태다.

그러한 긴장상태는 막아야 한다. 우리는 이를위해 한반도비핵화 공동선언의 실천이 얼마나 중요한지를 거듭 강조한다. 언젠가 탁 털어놓고 이야기할 수 있는 시기가 올수있을지 모르지만 지금으로는 이 7월 중순까지로 돼있는 핵안

로서는 그것이 남북한의 공동이익에 부합되는 길이다. 남북 서로가 핵재처리 시설을 안갖기로한 비핵화공동선언이 제대로 이행될수 있을때 北韓核처리문제는 비로소 완결될 수 있다.

한반도 비핵화공동선언을 보장할수 있는 수단으로 남북의 상호사찰이 반드시 이뤄져야 한다. 北韓이 만일 건설중이라는 대형재처리시설의 건설을 중단하고 이를 완전 포기하는 결단을 내린다면 상황은 北韓이 급속히 달라질 것이다. 현재로선 北韓이 공산를 더이상 진전시키려는 기미가 없다고 하지만 그것만으로는 부족하다.

北韓核문제에는 보다 심각한 또 하나의 사실이 있다. 추출된 플루토늄이다. IAEA의 北韓核에 관한 사찰 과정을 통해 소량의 플루토늄이 이미 추출된 것으로 확인됐다는 보도에 우려하지 않을수 없다. 소량이 어느정도인지는 알 수 없다. 만약에 소량 원자탄 1,2개를 만들수 있는 플루토늄을 北韓이 이미 보유하고 있다면 北韓核의 성격은 전혀 달라진다. 그래서 걱정이다.

거듭 강조하건대 첫째 IAEA의 사찰에 충실히 임해야 한다. 말하자면 핵시설과 핵물질에 관한 성실 신고다. 北韓

전협정 보조약정을 보다 빨리 체결하고 핵시설이 불완전하고 비효율적임이 이번의 IAEA사찰활동을 통해 잘 드러났다. 둘째, 남북의 상호사찰을 늦추지 말아야 한다. 셋째로 중요한 사실은 北韓核시설의 안전문제다. 체르노빌에서와 같은 핵사고를 방지하기 위해서라도 北韓은 핵기술선진국과의 협력을 가능케하는 보다 개방적인 결단을 내려야 한다.

IAEA의 정식사찰을 받아야 한다. 北韓核시설의 독자적으로 개발했다는 北韓의 을 내려야 한다.

플루토늄 회수가능량 편차 10배

'북한 핵' 관련 주장 상충부분 분석

영변2호 원자로 용량·흐름새고 이견 커
방사화학 실험실 재처리시설 간주 무리

0032 북한 불필요한 오해 해소위해 흑연감속형 방식등 바꿔야

0033

[재처리시설의 문제]

[영변 2호기 종류와 용량]

[플루토늄 함유량]

[문제점과 전망]

『북한 핵』 관련 주장 상충부분 분석

영변2호 원자로 용량·중류써고 이견 커

방사화학 실험실 재처리시설 간주 무리

0032 북한 불필요한 오해 해소위해 흑연감속형 방식들 버쳐야

[재처리시설의 문제]

[영변 2호기 종류와 용량]

[플루토늄 함유량]

[문제점과 전망]

공 란

공   란

공 란

공   란

공　　　란

발 신 전 보

WBR-0560   920611 2233 FN

번   호 :   종별 : 2Bo WSO -0188

수   신 : 주 브 라 질   대사. 총영사 (사본 : 주 상다울로 총영사)

발   신 : 장 관 (국기)

제   목 : 차관님 보고 사항

6.10(수). IAEA 사무총장 H. Blix 의 북한 방문 (5.11 -16) 결과에 대한 브리핑 내용

과 IAEA 임시사찰 (5.25- 6.5.) 결과에 대하여 다약한 내용을 보고 드립니다.

(하기내용은 6.11. 청와대 보고함)

    1. IAEA 사무국측 설명내용

      가 . 북한 핵개발 실태

        1) 원자력 개발 개요

        o 북한은 기술 및 외부지원 면에서의 제약때문에 자체 조달이

          가능한 구식 원자로 (가스냉각 , 흑연감속 : GMR) 방식 채택

        o 5MW 실험용 원자로를 가동중이며, 50MW 및 200MW 원자로 건설

        중

          북한도 경수로(RWR)로 교체하는 것을 고려하고 있으나

        외부로부터의 지원없이는 불가능한 실정

        2) 방사능 화학실험실 (Radiochemical Laboratory)

        o 동 시설은 대규모이나 (건설공정이 외부 80%, 내부장비 40% 정도

          진척) 실험에만 사용되고 있어 북한측은 이를 실험실로 분류

	보 안 통 제	

앙고재	82년 6월 11일	국제 기구 과	기안자 성명 신웅영	과 장	국 장	차 관	장 관	외신과통제

0039

- 사찰단은 장비면에서 중요 부분이 미비한 것으로 보아 자체
  개발이 불가능하여 중단했거나 장비를 수입했으나 아직
  미설치 중인것으로 봄.
- 동 실험실은 완공되면 본격적인 재처리 시설이지만 생산규모
  는 확실치 않음.
o 북한측은 동 재처리 시설이 고속증식로(Fast Breeder Reactor)
  용 연료생산을 위한 것이라고 하였으나, 북한의 증식로 연구
  수준은 매우 초보적인 상태.

3) 플루토늄 추출

o 상기 방사화학 실험실에서 1990년 소량(그램단위)의 플루토늄
  을 추출하였으며, 임시사찰팀이 분석을 위해 표본을 가져옴.
o 플루토늄 분리 시설은 미비한 편이고 구식이었음.

4) 북한 핵시설 공개문제

o 북한은 핵시설 개발의 필요성을 납득하는 태도였으며, IAEA
  관리가 희망하는 시설에 대한 방문을 허용할 용의가 있음을
  표명

나. 임시사찰(Ad Hoc Inspection) 활동

o 금번 임시사찰시 5MW 실험용 원자로의 운전기록 검사, 동위원소
  처리 실험실등의 미신고 시설 방문, 표본 채취, 사찰관계 봉인
  및 감시장비 설치등의 활동을 함.
o IAEA는 수주내 임시사찰단을 다시 파견할 예정이며, 북한과의
  핵안전협정 이행을 위한 보조약정은 7.10일 시한내 체결할 수
  있을것으로 봄.

0040

- 동 약정체결에 이어 정기사찰(routine inspection)이 실시
  되면 협정 이행절차가 완료됨.

2. 사무총장의 견해

  ○ 북한의 핵개발에 대한 우려가 아직 남아 있는것은 사실이나, 그동안
    자신의 방북과 임시사찰등의 과정을 통해 그간 알려지지 않았던 북한
    핵시설에 대한 지식확보와 개방성 방향으로 일보 진전한 것으로 평가

  ○ 원자력 사업 추진에 있어 재처리시설 보유가 필수·불가결한 것은
    아니라는 북한측 태도를 감지
    - 재처리 시설 건설 및 플루토늄 생산 계속 여부에 대해 현재로서는
      판단할 근거가 없다함.

  ○ 별도 실험용 재처리시설(pilot plant) 보유 여부에 대한 북한측의
    설명은 모호했으며, 서방 전문가의 상식과 경험에 따르면 중간단계
    없이 바로 대규모 시설을 건설하는 것은 비정상적인 것으로 납득하기
    어렵다함.

  ○ 방사화학실험실 장비의 외부이동 또는 은닉여부는 현재로서는 판단하기
    이르며, 금번 사찰결과의 철저한 분석이 필요함.

3. 분석 및 평가

  ○ IAEA 사무국측은 북한의 현재까지 태도를 긍정적으로 평가하고 금후
    사찰을 철저히 함으로써 북한의 핵개발 의혹 부분을 어느정도 해명
    하고 견제할 수 있다고 판단하는 것으로 보임.

  ○ IAEA 및 국제적협력을 통해 북한이 흑연로에서 경수로로 전환토록
    지원함으로써 재처리 시설을 포기하도록 유도하는 방안 검토 필요성
    대두.   (국제기구정

에긴 92,12,11 이성   임2과심)

0041

	분류번호	보존기간

발 신 전 보

번 호 : **WND-0453** 920612 1155 WG 종별 :

WDJ -0682	WPA -0289
WTH -0942	WAR -0392
WBR -0562	WEQ -0138
WMX -0384	WUR -0092
WRM -0222	WNR -0160

수 신 : 주 수신처 참조   대사. /총/영사

발 신 : 장 관 (국기)

제 목 : IAEA가 밝힌 북한 핵개발 관련 내용

6.10(수) IAEA 사무총장 H. Blix가 자신의 북한 방문(5.11-16) 결과에 대하여 브리핑한 내용과 IAEA 임시사찰(5.25-6.5) 결과에 대하여 주오스트리아 대사관에서 파악한 내용을 아래 통보함.

1. IAEA 사무국측 설명내용

가. 북한 핵개발 실태

1) 원자력 개발 개요

o 북한은 기술 및 외부지원 면에서의 제약때문에 자체 조달이 가능한 구식 원자로(가스냉각, 흑연감속 : GMR) 방식 채택

o 5MW 실험용 원자로를 가동중이며, 50MW 및 200MW 원자로 건설 중

- 북한도 경수로(LWR)로 교체하는 것을 고려하고 있으나 외부로부터의 지원없이는 불가능한 실정

2) 방사능 화학실험실(Radiochemical Laboratory)

o 동 시설은 대규모이나(건설공정이 외부 80%, 내부장비 40% 정도 진척) 실험에만 사용되고 있어 북한측은 이를 실험실로 분류

보안	
통제	B

앙고재	92년 6월 12일	국제기구과	기안자성명 신중익	과 장	심의관	국 장	차 관	장 관	외신과통제
						전결			

0042

- 사찰단은 장비면에서 중요 부분이 미비한 것으로 보아 자체
  개발이 불가능하여 중단했거나 장비를 수입했으나 아직
  미설치 중인것으로 봄.

- 동 실험실은 완공되면 본격적인 재처리 시설이지만 생산규모
  는 확실치 않음.

o 북한측은 동 재처리 시설이 고속증식로(Fast Breeder Reactor)
  용 연료생산을 위한 것이라고 하였으나, 북한의 증식로 연구
  수준은 매우 초보적인 상태

3) 플루토늄 추출

o 상기 방사화학 실험실에서 1990년 소량(그램단위)의 플루토늄
  을 추출하였으며, 임시사찰팀이 분석을 위해 표본을 가져옴.

o 플루토늄 분리 시설은 미비한 편이고 구식이었음.

4) 북한 핵시설 공개문제

o 북한은 핵시설 개발의 필요성을 납득하는 태도였으며, IAEA
  관리가 희망하는 시설에 대한 방문을 허용할 용의가 있음을
  표명

나. 임시사찰(Ad Hoc Inspection) 활동

o 금번 임시사찰시 5MW 실험용 원자로의 운전기록 검사, 동위원소
  처리 실험실등의 미신고 시설 방문, 표본 채취, 사찰관계 봉인
  및 감시장비 설치등의 활동을 함.

o IAEA는 수주내 임시사찰단을 다시 파견할 예정이며, 북한과의
  핵안전협정 이행을 위한 보조약정은 7.10일 시한내 체결할 수
  있을것으로 봄.

0043

- 동 약정체결에 이어 정기사찰(routine inspection)이 실시
되면 협정 이행절차가 완료됨.

2. 사무총장의 견해

o 북한의 핵개발에 대한 우려가 아직 남아 있는것은 사실이나, 그동안
자신의 방북과 임시사찰등의 과정을 통해 <u>그간 알려지지 않았던 북한</u>
<u>핵시설에 대한 지식확보와 개방성 방향으로 일보 진전한 것으로 평가</u>

o 원자력 사업 추진에 있어 재처리시설 보유가 필수 불가결한 것은
아니라는 북한측 태도를 감지
- 재처리 시설 건설 및 플루토늄 생산 계속 여부에 대해 현재로서는
판단할 근거가 없다함.

o 별도 실험용 재처리시설(pilot plant) 보유 여부에 대한 북한측의
설명은 모호했으며, <u>서방 전문가의 상식과 경험에 따르면 중간단계</u>
<u>없이 바로 대규모 시설을 건설하는 것은 비정상적인 것으로 납득하기</u>
<u>어렵다함.</u>

o 방사화학실험실 장비의 외부이동 또는 은닉여부는 현재로서는 판단하기
이르며, 금번 사찰결과의 철저한 분석이 필요함.

3. 분석 및 평가

o IAEA 사무국측은 북한의 현재까지 태도를 긍정적으로 평가하고 금후
사찰을 철저히 함으로써 북한의 핵개발 의혹 부분을 어느정도 해명
하고 견제할 수 있다고 판단하는 것으로 보임.

o IAEA 및 국제적협력을 통해 북한이 흑연로에서 경수로로 전환토록
지원함으로써 재처리 시설을 포기하도록 유도하는 방안 검토 필요성
대두.

0044

4. 6월이사회 대책 : 별전 통보   끝.

예고 : 92.12.31 일반

(국제기구국장   김 재 섭)

수신처 : 주인도, 인니, 파키스탄, 태국, 알젠틴, 브라질, 에쿠아돌, 멕시코,
우루과이, 루마니아, 노르웨이 대사

0045

고속 증식로

核연료 플루토늄 사용

北韓 核사찰계기로 알아보는 전문用語

재처리技術	燃燒 核서 플루토늄分離추출
핫 셀	방사성물질 만드는 無人시설
혼합核연료	우라늄에 플루토늄섞은 연료

0046

〈조南式〉

北 經濟 先結 개방 法수정비

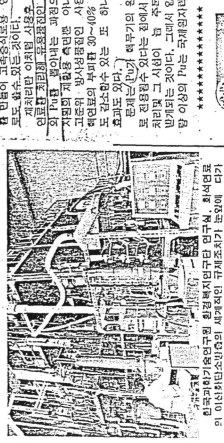

실용기술 보유국은 美·英·獨·佛 정도

단순한 지원기술이지만 방사능 유출우려 커

0047

핵연료 재처리 어떻게 하나

재처리工程

○ 우라늄 ● 플루토늄 ● 핵분열생성물 □ 나머지 중금속원자

在美 사업기기 본 D B·S/W 신업 세미나

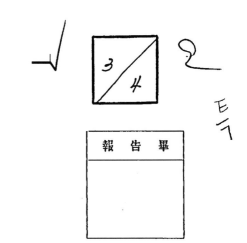

長官報告事項

報告畢

1992. 6. 12.
國際機構局
國際機構課(34)

題 目 : IAEA에서 북한의 대미 접근시도

주 비엔나 북한대표부 윤호진 참사관이 6.10(수) IAEA 사무차장과 주 비엔나
미국대표부 직원을 접촉, 핵사찰 문제와 관련 미국측에 제안한 내용을 아래
와 같이 보고 드립니다.

1. 북한측 제안 및 미측 반응 내용

가. 북한측 제안

o 북한의 평화적 핵 개발에 대해 미국측이 확신을 갖도록하기 위해 미국측
  인사를 초청한 용의가 있음.
  - 개인적 의견임을 전제, Kennedy 미 NPT 담당대사(IAEA이사회 미국대표)
    의 방북 가능성도 타진
  - 이러한 방문 초청은 북한의 외부세계와의 관계 개선 노력의 일환임
  - 이와함께 군사시설을 포함하여 북한내 모든 시설에 대한 IAEA 관리 의
    방문 허용 가능성 표명

o 핵발전소 및 핵연료주기 관련 안전 및 안전조치 활동을 하고 있는 미국
  핵통제 위원회 (NRC)로 부터 필요한 지원과 정보를 받고 싶다는 의사 표명
  - 또한 미국을 포함한 서방국가들과 원자력 이용 협력사업(우선 농업 분야)
    추진 용의 표명

o IAEA 6월이사회시 미국과 북한이 서로의 연설문안을 교환 할 것을 제의

0048

나. 미측반응

　　o 연설문 교환 제안에 대해 <u>Kennedy 대사는 부정적인 반응</u> 을 보였으나,
　　　<u>Becker 주비엔나 미국대사</u> 는 북한측 발언문안을 사전 입수할 수 있다는
　　　점에서 <u>긍정적 평가</u>

　　o 북한측의 Kennedy 대사 방북 가능성 타진에 대해서 동 대사는 북측의
　　　정확한 의도를 확인하여야하며, <u>현단계에서는 그와같은 북측의 책동에</u>
　　　<u>대응할 의사가 없다고 반응</u>

2. 북한측 제안의 분석 및 평가

　　o Kennedy 대사등 미측인사의 방북초청 제안은 미-북한 직접 접촉 시도의 일환
　　　이며, IAEA차원에서의 사찰 성과를 부각시키면서 남북 상호사찰을 회피해 보
　　　려는 의도
　　　- Kennedy 대사가 방북초청에 응하는 경우 <u>남북상호사찰 및 재처리 시설 포기</u>
　　　　<u>문제가 미-북한간에 직접 해결될 수 있다는 점에 대비 필요</u>

　　o 북한측의 상기제안은 재처리 시설포기 및 원자로기술 지원 관련 최근 '솔로
　　　본' 차관보 및 이철 주제네바 북한대사의 발언과도 같은 맥락에서의 대미
　　　접근 시도라고 볼 수 있음.

　　o 또한 북한측은 금번 6월이사회에서 북한내 군사시설까지 IAEA에 공개한다는
　　　등의 발언을 통해 북한의 개방성, 투명성을 강조함으로써 <u>향후 IAEA에서의</u>
　　　<u>북한 문제 토의를 사전 봉쇄하려는 전략으로 분석</u>

※ 상기 북한측 제안내용과 원자로(경수로)기술 지원희망과 관련 최근 북한측의
　대미 접근 전략에 대응하여 <u>북한 핵문제 해결을 위한 우리 정부대책의 종합적</u>
　<u>검토 필요</u>

예고 : '92.12.31 일반

검토필 (1992. 6. 10.)

4. 北韓의 對美 核技術協力 提議에 대한 美側 反應

o 6.12 美 國務部 關係官은 최근 核技術協力등을 빌미로 한
北韓의 對美 接近策動에 대해 아래 反應을 보임.

- 核武器 開發을 위한 核施設을 平和的 目的의 核에너지
開發用이라고 僞裝하고 있는 北韓이 輕水爐 核技術로의
轉換이라는 또 하나의 거짓말로 國際社會의 의혹을 拂拭
시켜보려는 宣傳攻勢로 봄.

- 北韓의 輕水爐로의 技術轉換 言及이 論理的으로 맞는다
해도, 北韓의 外貨事情이나 公信力에 비추어 수십억불이
소요될 輕水爐 技術의 導入 實現 可能性은 전혀 없음.

- 따라서 北韓이 南北 相互査察制度의 조속한 樹立과 이에
따른 효과적 査察후 美國을 비롯한 西方世界와의 關係를
增進시키는 것이 全般的인 協力增進을 위해 北韓이 취할
수 있는 유일한 길임.   (駐美大使 報告)

남아프리카- 아프리카 민족대회와 그 동맹자들을 반대하는 전쟁을 계속하고 있다는 것을 보여준다고 보고는 지적했습니다. 보고는 남아프리카 경찰이 자기의 적수들을 무자비하게 살해하고 있으며 이로 말미암아 1990년이래 원주민 마을들에서 7천명이 죽었다고 지적했습니다. 보고는 만일 남아프리카 정부가 실제적인 인권보호조치를 취하지 않으면 나라의 정치개혁 과정이 파탄될 수 있다고 경고했습니다.

58. 북한 원자력공업부 대변인, IAEA의 비정기 사찰 완료관련
    담화 발표 (중방 92.06.12 2200)

　　　　조선민주주의인민공화국 원자력공업부 대변인은 우리나라와 국제원자력기구 사이에 체결된 핵담보협정에 따라 국제원자력기구의 제1 차 비정기 사찰이 진행된 것과 관련해서 오늘 다음과 같은 담화를 발표했습니다. 조선민주주의인민공화국 원자력공업부 대변인 담화. 지난 5.25 부터 6.6 사이에 우리나라와 국제원자력기구 사이에 체결된 핵담보협정에 따라 국제원자력기구의 제1 차 비정기 사찰이 진행되었다. 우리는 국제원자력기구의 사찰이 원만히 진행되게 하려는데로부터 기구의 사찰대상으로 되어있지 않은 핵시설들까지도 다 공개하고 보여주었다. 이것은 우리 공화국 정부의 핵계획의 청결성과 핵정책의 시종일관성을 보여주는 뚜렷한 증거이다. 국제원자력기구 사찰단은 우리나라에서 원자력이 나라의 과학기술과 인민경제 발전을 위한 평화적 목적에 이용되고 있는데 대하여서와 우리나라 원자력공업부문 과학자·기술자들이 자력갱생하여 이룩해 놓은 성과들에 대하여 확인하고 우리의 성의있는 협조에 만족을 표시하였다. 국제원자력기구의 제1 차 비정기 사찰이 우리와 기구 사이의 진지한 협

I-64

0051

와 명단 교환방식문제 그리고 교환시일문제 등에 대해서 집중적으로 토의했습니다. 오늘 접촉에서는 우리 안대로 방문단 및 예술단의 교환시일을 오는 8.25 부터 3박 4일로 하는 문제, 예술단 선발대를 교환하며, 예술단 공연을 실황중계하는 문제와 그밖의 몇가지 문제들에 대해서만 합의되었을뿐 노부모 방문단의 사전 명단 교환 규모문제와 같은 기본문제들은 의견접근을 보지 못하고 다음번 접촉에서 계속 토의하기로 했습니다 우리측은 접촉을 마치면서 이번 접촉에서 노부모 방문단 및 예술단 교환과 관련한 합의서 토의를 완전히 끝내지 못한 것은 남측이 합의사항을 어기고 합의사항과 어긋나는 여러가지 부당한 제안들을 들고나와 회담 앞에 복잡성을 조성하고 있는 것과 관련되고 있다고 명백히 한다음 노부모 방문단 및 예술단 교환사업을 앞두고 벌이고 있는 당국의 반공화국 소동에 맞장구를 치지 말며, 적십자 본연의 정신에서 본문제 토의에 성실성을 보일 것과 다음번 접촉 때에는 이인모 노인 송환방법을 반드시 준비해 가지고 나올 것을 다시금 촉구했습니다. 제3 차 실무대표 접촉은 6.22 에 가지기로 합의했습니다. 이와같이 제2 차 북남 적십자 실무대표 접촉이 있었습니다.

57. 국제대사령, 남아프리카 군대와 경찰의 정치개입 비난

    (중방 '92.06.12 2200)

        보도에 의하면 10 일 국제대사령이 "공포의 나라 남아프리카" 라는 제목의 보고에서 남아프리카 경찰과 군대가 정치적 테러와 고문 만행을 계속 감행하고 있는데 대해서 밝혔습니다. 이러한 사실들은 남아프리카 당국이 정치에 경찰을 개입시키지 않겠다고 언약했음에도 불구하고

I-63

0052

조에 의하여 순조롭게 진행된 지금에 와서 우리 공화국 정부의 비핵화 의지를 의심할 근거는 더는 없게 되었다. 공화국 정부는 창건된 첫날부터 반핵 평화정책을 실시하여 왔다. 우리 공화국 정부의 반핵 평화정책은 세상에서 사람을 가장 귀중한 존재로 여기는 주체사상의 근본원리에 그 기초를 두고 있으며, 자주 평화 친선을 기본이념으로 하는 우리 공화국의 대외정책의 중요한 구성부분을 이루고 있다. 핵동력공업 건설을 기본으로 하여 원자력 개발을 적극 추진시키려는 우리 공화국 정부의 시종일관한 입장에는 변함이 없다. 원자력을 오직 평화적 목적에만 이용하는 것은 우리 공화국 정부가 견지하고 있는 원칙적인 입장이다. 공화국 정부는 인민경제의 늘어나는 동력수요를 해결하며, 나라의 과학과 경제를 급속히 발전시키고 인민들의 물질 문화생활을 향상시키려는 근본목적으로부터 출발하여 모든 핵계획을 세우고 핵에너르기에 대한 과학 연구와 개발사업을 진행하여 왔다. 우리나라의 풍부한 우라늄 자원에 기초한 평화적 핵동력 개발계획에 따라 건설되고 있는 방사 화학실험소에서는 앞으로 자체의 핵연료를 전망성 있게 보다 효과적으로 아껴쓰기 위한 연구와 필요한 방사선 동위원소들을 분리하여 인민경제 여러부문에 이용하기 위한 과학연구사업을 진행하게 된다. 우리 공화국의 원자력법은 나라의 경제발전에 적극 이바지 하며, 원자력공업 건설에서 방사선으로부터 사람들의 생명과 건강을 보호하는 것을 확고히 담보하고 있다. 공화국 정부는 원자력의 평화적 이용과 방사선 보호분야에서 다른나라들과의 교류와 기술적 협조를 진행하고 있으며, 국제원자력기구를 비롯한 국제기구와의 협조를 강화해 나가고 있다. 핵전쟁의 위험을 방지하고 인민들의 안전을 수호할 사명을 지닌 핵무기전파방지조약의 숭고한 의무에 충실한 우리 공화국 정부는 앞으로도 국제원자력기구의 사찰을 계속 성실히 받을 것이며, 우리의 평화적 핵개발에 대한 진실성을 국제사회계에 보여줄 것이다. 이와같이 조선민주주의인민공화국 원자력공업부 대변인이 오늘 담화를 발표했습니다.

59. 이스라엘, 남부 레바논 공격
  (중방 92.06.12 2210)

바이루트에서의 보도에 의하면 이스라엘 침략자들이 내외여론의 규탄에도 불구하고 남부 레바논에 대한 군사적 도발을 계속하고 있습니다. 놈들은 10 일 저녁 또다시 공군기들을 동원해서 남부 레바논의 이클림 아트 트파구주 민간 부락들을 폭격했습니다. 놈들의 만행으로 아인 부스와르, 루베이지 마을들이 파괴되었습니다. 이와때를 같이해서 이스라엘 침략자들은 싸우즈와 물리타 즈베라스 사피마을들에 여러시간 포사격을 가해서 평화적 주민부락들을 파괴했습니다. 그래서 수만은 주민들이 집을 버리고 피난을 가지 않으면 안되게 되었다 합니다.

I-66

0054

'92 - 제 336 호

원자력공업부대변인 담화 (6.12)

-IAEA의 핵사찰 진행 관련

('92. 6. 12. 22:15,중. 평방)

조선민주주의인민공화국 원자력공업부대변인은 우리나라와 국제원자력기구 사이에 체결된 핵담보협정에 따라 국제원자력기구의 제1차 비정기사찰이 진행된 것과 관련해서 오늘 다음과 같은 담화를 발표했습니다.

'조선민주주의인민공화국 원자력공업부대변인 담화'

지난 5월 25일부터 6월 6일 사이에 우리나라와 국제원자력기구사이에 체결된 핵담보협정에 따라 국제원자력기구의 제1차 비정기사찰이 진행 되었다.

우리는 국제원자력기구의 사찰이 원만히 진행되게 하려는 데로부터 기구의 사찰대상으로 되어있지 않은 핵시설들까지도 다 공개하고 보여주었다.

이것은 우리 공화국정부의 핵계획의 청백성과 핵정책의 시종일관성을 보여주는 뚜렷한 증거이다.

국제원자력기구사찰단은 우리나라에서 원자력이 나라의 과학기술과 인민경제발전을 위한 평화적 목적에 이용되고 있는데 대해서와 우리나라 원자력공업부문 과학자·기술자들이 자력갱생하여 이룩해놓은 성과들에 대하여 확인하고 우리의 성의있는 협조에 만족을 표시하였다.

국제원자력기구의 제1차 비정기사찰이 우리와 기구사이에 진지한 협조에 의하여 순조롭게 진행된 지금에 와서 우리 공화국정부의 비핵화 의지를 의심할 근거는 더는 없게 되었다.

공화국정부는 창건된 첫날부터 반핵·평화정책을 실시하여 왔다.
우리 공화국정부의 반핵·평화정책은 세상에서 사람을 귀중한 존재로 여기는 주체사상의 근본원리에 그 기초를 두고 있으며, 자주·평등·친선을 기본이념으로 하는 우리공화국의 대외정책의 중요한 구성부본을 이루고 있다.

핵동력공업건설을 기본으로 하여 원자력개발을 적극 추진시키려는 우리 공화국정부의 시종일관한 입장에는 변함이 없다.
원자력을 오직 평화적 목적에만 이용하는 것은 우리 공화국정부가 견지하고 있는 원칙적인 입장이다.

공화국정부는 인민경제의 늘어나는 동력수요를 해결하며, 나라의 과학과 경제를 급속히 발전시키고 인민들의 물질문화생활을 향상시키려는 근본목적으로부터 출발하여 모든 핵계획을 세우고 핵에네르기에 대한 과학연구와 개발사업을 진행하여 왔다.

- 2 -

0056

우리나라의 풍부한 우라늄자원에 기초한 평화적 핵동력개발계획에 따라 건설되고 있는 방사화학실험소에는 앞으로 자체의 핵연료를 전망성있게 보다 효과적으로 아껴쓰기 위한 연구와 필요한 방사성 동위원소들을 분리하여 인민경제의 여러부문에 이용하기 위한 과학연구사업을 진행하게 된다.

우리공화국의 원자력법은 나라의 경제발전에 적극 이바지하며, 원자력공업건설에서 방사선으로부터 사람들의 생명과 건강을 보호하는 것을 확고히 담보하고 있다.

공화국정부는 원자력의 평화적 이용과 방사선보호분야에서 다른 나라들과의 교류와 기술적 협조를 진행하고 있으며, 국제원자력기구를 비롯한 국제기구와의 협조를 강화해 나가고 있다.

핵전쟁의 위험을 방지하고 인민들의 안전을 수호할 사명을 지닌 핵무기전파방지조약의 숭고한 의무에 충실한 우리 공화국정부는 앞으로도 국제원자력기구의 사찰을 계속 성실히 받을 것이며, 우리의 평화적 핵개발에 대한 진실성을 국제사회계에 보여 줄 것이다.

외 무 부

종 별 : 지 급

번 호 : AVW-0958 　　　　　　　　　　일 시 : 92 0612 1840

수 신 : 장관(국기,미이,정부,과기처)사본:주미,주일대사-중계필

발 신 : 주 오스트리아 대사

제 목 : 1. 오창림 북한 순회 대사 IAEA 사무총장 면담결과

　　　　IAEA 사무국측으로부터 탐문한바에 의하면 6 월 이사회 참석차 당지 도착한 오창림 북한 순회 대사가 금 6.12(금) 15:10-15:40 BLIX IAEA 사무총장을 면담하였는바 오창림 의 언급 특기사항 아래 보고함.

　　가. 사무총장 일행 및 IAEA 사찰팀 방북에 대해 감사 표시

　　나. IAEA 사찰팀 방북시나 IAEA 인사가 앞으로 방북시 관심이 있는 시설 방문을 희망하면 언제든지 주선할 용의가 있으며 IAEA-북한간 체결된 안전 협정을 충실히 이행하겠음을 재확인

　　다. 남. 북 관계를 IAEA 이사회에서 토의 하는것은 부적절함을 지적

　　라. 북한이 서방 세계의 경수형 원자로를 도입코자 하는바 IAEA 사무총장의 역할을 기대함.

　　(이에 대해 IAEA 사무총장은 그러한 역할은 IAEA 가 할일이 아니고 북한이 직접 러시아, 일본, 한국등에 직접 제의해 보는것이 어떠냐고 응답했다함)

　　마. 이시영 대사를 잘 알고 있음.

　　끝

　　(대사 이시영-국장)

　예고:92.12.31 일반

검토필 (1992.6.30.)

국기국	장관	차관	1차보	미주국	외정실	분석관	정와대	안기부
과기처	중계							

PAGE 1 　　　　　　　　　　　　　　　　　　92.06.13　　05:43

　　　　　　　　　　　　　　　　　　　　　　외신 2과 통제관 FM

0058

5. 北韓 巡回大使 IAEA 事務總長 面談

o IAEA 6월 理事會 參席次 오지리를 訪問한 오창림 北韓 巡回
   大使는 6.12 블릭스 IAEA 事務總長을 面談한 바, 同人의 言及
   要旨는 다음과 같음.

   - 앞으로 IAEA 査察팀이나 IAEA 人士가 訪北時 관심있는 施設
     訪問을 희망하면 언제든지 周旋할 用意가 있으며, IAEA
     核安全協定의 충실한 履行을 再確認

   - IAEA 理事會에서 南.北韓關係의 討議는 不適切하다고 指摘

   - 北韓이 西方側의 輕水爐 技術을 導入코자 하는 바, 이에대한
     IAEA 事務總長의 役割을 期待   (駐오지리大使 報告)
                                                    끝.

0059

IAEA 臨時査察 終了에 따른 北韓의 宣傳 策動

1992. 6. 13.

外 務 部

北韓은 IAEA 의 첫 臨時査察이 終了되고, IAEA 理事會가 臨迫함에 따라 케네디 美國務部 核擴散 防止擔當 大使의 訪北 可能性을 打診하는 등 對美 接近 策動을 强化하고 있는 바, 關聯 事項 및 對策을 아래 報告 드립니다.

1. 對美. 對日 核技術 支援 要請

   o 北韓은 IAEA가 輕水爐 原子爐 分野 技術 提供時 플루토늄을 利用한 原子力 發電을 抛棄할 用意를 블릭스 IAEA 事務 總長에게 表示했음을 美側에 傳達함.
      - 6. 1. 第23次 美. 北韓 參事官級 北京 接觸時 傳達

   o 이철 제네바 駐在 北韓大使는 美國과 日本이 原子力 發電用 輕水爐 分野 技術 提供, 協力時 再處理 施設의 開發을 中止할 것으로 發言함.
      - 6. 10 日本 共同 通信과의 會見 機會 利用

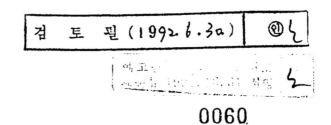

검 토 필 (1992. 6. 3a)

0060

2. 北韓의 對美 接近 策動

  ㅇ 윤호진 駐비엔나 北韓 代表部 參事官은 케네디 美國務部
     核擴散 防止擔當 大使에 接近, 同人의 訪北可能性을 打診함.
     - 6월 IAEA 理事會시 兩側 發言文案의 事前交換도 提議
     - 美側, 北側의 提議 拒絶

  ㅇ 윤호진은 덕스 IAEA 事務次長을 6.18 別途 訪問, 美國과의
     協力에 特別한 關心을 傳達함.
     - 核 燃料 週期 技術, 原子力 安全 統制 技術 關聯 美側의
       協力 可能性 打診
     - 케네디 大使등 美 專門家들이 訪北, 核施設 確認토록
       提議

3. 評價 및 對策

  ㅇ 北韓側은 自身들의 核開發 計劃은 平和 目的이며 北韓에
     대한 國際的 疑懼心은 解消되었음을 宣傳하고, 相互査察에
     대한 壓力을 解消시키려는 意圖를 드러냄.
     - 특히, 再處理 施設 抛棄를 代價로 한 輕水爐 技術 및
       核 安全 技術 習得을 빌미로 對美關係 改善에 利用 試圖

0061

o 上記 北韓側의 對美 接近 策動等과 關聯, 北側 意圖에 대한
    我側 分析을 美側에 周知시키고 신중히 對處토록 美側 協力을
    確保함.

   - IAEA 理事會時 各 友邦國을 통해 相互査察이 반드시
      이루어져야 함을 強調토록 交涉을 展開   끝.

豫 告 : 1992.12.31. 一般

0062

6/15선

외 무 부 기

종 별 : 지급

번 호 : AVW-0966
일 시 : 92 0613 2230

수 신 : 장관(국기,미이,정특,과기처)사본:주미대사-중계필

발 신 : 주 오스트리아 대사

제 목 : IAEA 사무총장 초청 오찬

보통문서로 재분류(1992.12.31)

본직은 6.12(금) BLIX 사무총장, WOJCIK 총장 특별 보좌관 및 SANMUGANATHAN 의사국장을 오찬에 초청, 북한 핵 문제 관련 6 월 이사회 대책등에 대해 의견을 교환하였는바, 특기 사항 하기 보고함.(조창범 공사, 허남과학관, 김의기 참사관 배석)

1. 북한 방문 및 임시사찰결과 관련 , 북한 핵 개발 의혹의 초점으로 부상된 폴루토늄 추출 능력과 축적 여부, 핵재처리 시설공사의 계속이나 은폐 여부, 5MW 실험용 원자로와 방사화학 실험시설의 가동 실적등에 관하여 집중적으로 타진 한바 동 총장과 특별 보좌관의 반응은 아래임.

가. 북한의 현재 핵능력은 일단 플로토늄을 소량이나마 추출한 것으로 보아핵무기 제조에 필요한 량도 생산할수 있는 기초적인 재처리 능력을 갖춘것으로보며 , 다만 핵폭탄 제조에 필요한 여타 기술 수준은 자신으로서도 알수 없다고 하였으나 부정적으로 보는 인상이었음.

나. 발전용 경수로로의 전환 문제에 관하여 북한이 이미 많은 재원을 투자한 핵재처리 시설 건설을 현단계에서 과연 포기할 것인지 또는 앞으로 동 시설을완공시키기 까지 소요될 막대한 경비를 감당할 능력이 있는지등에 대하여 의문이 가나, 북한측은 경수로 전환을 위한 기술 도입 및 원료 공급이 확보된다면 재처리 시설을 포기할수 있는것 같은 반응을 보였음.

다. 러시아 연방의 재정상태로 보아 북한측이 경수로 전환을 위한 러시아로부터의 지원을 기대하지는 않을것으로 보이며 미, 일 또는 한국이나 서방측으로 부터의 기술 및 재원 조달 가능성에 관심이 많은것으로 보였음.

라. 이와관련 BLIX 사무총장은 우리측이 남북 협력 차원에서 재처리 시설 포기등 조건을 달아 북한의 경수로 전환을 위한 제반 원조를 제공하는것도 생각할수 있지

검토필 (1992.6.30)

국기국	장관	차관	2차보	미주국	외정실	분석관	정와대	총리실
안기부	과기처	중계						

PAGE 1

92.06.14   07:19 0063

외신 2과 통제관 EC

않느냐는 견해를 피력하였음.

　마. 또한 동 총장은 6.10 비공식 브리핑시 본직의 질문중 북한 핵시설의안전성 문제 지적에 공감을 표하고 동 총장도 방북시 북한측에 원자력 안전 및원전개발 계획 분야에서 IAEA 가 기술협력 제공 용의를 표명한바 있다고 하면서, 북한의 소위 방사화학 실험실의 안전수준은 IAEA 사찰관들이 들어가는것을 꺼려할 정도였다고 하고, 5MW 실험용 원자로의 안전도도 장기 근무자들에 대하여는우려할 수준으로 본다고 말하였음.

　바. 북한 방문중 김일성 면담이 이루어지지 않은데에 대해 동 총장은 외교부 부부장 면담시 자신이 북한측에 대하여 IAEA 사찰하에서라로 핵처리 시설을 계속 고집하면 외부세계로부터 강한 반발을 불러일으킬 것이므로 이를 중지 할것을 솔직히 권고한것과 관련 , 김일성과의 면담에서도 같은 솔직성을 가지고 이야기를 할것이 우려되어 연총리 면담으로 바꾼것이 아닌가 하는 추측을 하고 있다고 말하였음.

　사. 소위 방사화학 실험소의 운전기록도 금번 사찰시 입수하여 상세 분석중이므로 5MW 원자로의 운전기록과 비교 분석하면 1990 년이후의 재처리 실험, 플로토늄 추출 실적과 그 정확성 여부등을 어느정도 평가 할수 있을것으로 봄.

　아. 소위 방사화학 실험실 (핵재처리시설) 건물로부터 자재가 반출되는것이미국 및 소련 인공위성에 포착된 정보 관련 문의에 대하여, 뜯어내어 은닉 했을경우 사찰 결과로 그 상세한 전모를 밝히는것은 기술적으로 곤란하나 어느정도의 심증을 가질수 있을것으로 본다고 하였음.

　자. 5MW 원자로의 연료를 전부 교체하는 시기(1994 또는 1995 년) 에 가면 상응 연료와 용기등의 정밀 분석으로 동 원자로의 운전 실적을 더상세히 파악할수 있을것으로 기대됨.

　2. 북한 핵 문제관련 6 월 이사회 토의 진행

　가. 본직은 우리측 및 여타 우방국들의 입장에서는 사무총장이 의제 채택 직후에 모든 의제에 걸쳐 포괄적 보고를 하게 되겠지만 UNIVERSAL REPORTING 및 북한 핵문제등 중요한 안건이 포함되어 있는 의제 5 항 SAFEGUARDS 에 대하여는 동 의제 토의에 들어가자 마자 별도로 보다 상세한 보고를 하는것이 바람직하다는 입장임을 설명하고 그렇게 해줄것을 요청한데 대해 BLIX 총장은 이사회 개막후 의제 전체에 대한 포괄적 보고를 하는것이 관례이나 우리측 요청을 감안 SAFEGUARDS 의제하에 별도로 보고하는 방안도 검토하겠다고 하였음.

나. 동 총장은 금번 이사회에서 IAEA 사찰문제에 부가하여 남북한 핵문제도거론 될 가능성과 관련 IAEA 의 SAFEGUARDS 는 결국 투명성 제고를 통한 신뢰 확보를 목표로한 제도적 장치 (INSTITUTIONALIZED MEANS OF ASSUING TRANSPARENCY) 이므로 한반도 같은 상황에서 남북한이 비핵선언에 입각하여 상호 사찰을시행함으로써 투명성을 높이고 신뢰를 구축할수 있다면 IAEA 의 SAFEGUARDS 가추구하는바와 같은 목적의 달성을 돕는 결과를 초래하는 것이므로 그런 차원에서 남북 관계를 거론하는것은 오히려 바람직한 것으로 본다고 하였음.

다. 본직은 금번 이사회에서의 북한 핵 문제 토의시 여러 이사국들이 발언 예정임을 설명하고 9 월 이사회시 사무총장이 PROGRESS REPORT 를 제출하도록 요청하게 될것이라고 한바, 동 총장은 이를 수긍하는 반응을 보였음.

라. 본직은 또한 우리측이 북한 핵시설의 안전성 문제에도 관심이 크며 IAEA의 역할에 대한 기대를 표명해 두었음.

3. 금번이사회 진행관련

가. 동총장은 금번 이사회의 큰 현안인 예산문제, 안전조치 (SAFEGUARD) 강화문제와 경비 문제등에 대한 각 지역 구룹과 이사국들의 입장이 대립되고 있음에비추어 이들 문제 전체를 놓고 포괄적 타협(PACKAGE DEAL) 을 시도할 의향임을밝히고 아세아 그룹 의장인 한국측의 협조와 지지를 요망하였음.

나. 본직은 그간 아세안그룹,77 구룹 , WG 등에서 이들 현안 문제들이 논의되어온 경위와 주요 쟁점등을 설명하고 가능한 협조를 할것임을 약속함. ㅠ

(대사 이시영-국장)

예고: 92.12.31 일반

3. 對北 核査察 結果관련 IAEA 事務總長 所感

6/15 신
71

○ 6.12 駐오지리大使는 블릭스 事務總長等 IAEA幹部를 午餐에
招請하고 表題관련 所感을 聽取한 바, 特記事項은 아래와 같음.

- 北韓은 일단 基礎的인 核再處理 能力은 갖춘 것으로 보이나,
  核爆彈 製造에 필요한 여타 技術水準에 대해서는 否定的으로
  보는 印象

- 放射化學實驗室의 運轉記錄을 상세히 分析중이므로 5MW
  原子爐의 運轉記錄과 比較分析하면 1990년 이후의 再處理
  實驗, 플루토늄 抽出 實績등에 대해 어느정도의 評價가 可能

- 放射化學實驗室의 資材 搬出, 隱匿 여부에 대해 査察로
  全貌를 밝히는 것은 技術的으로 問題가 있으나 어느정도의
  心證은 可能

- 放射化學實驗室의 安全水準은 IAEA 査察官이 들어가는 것을
  꺼려할 정도이며, 5MW 實驗用 原子爐의 安全性도 長期
  勤務者의 安全을 憂慮할 水準으로 評價 (駐오지리大使 報告)

0066

플루토늄抽出 완벽한 設備필요

핵연료 재처리 어떻게 하나

북한에 대한 국제원자력기구(IAEA)의 핵사찰과 관련해 재처리시설이 다시 세인의 관심이 되고 있다. 이를 계기로 재처리란 어떤 것이며 어떤 기술인지 알아본다.

원자력발전소의 연료(핵연료)속에는 경수로형의 경우 핵분열성 물질인 우라늄(U)235가 3.3%, U238이 96.7%, 중수로형 핵연료는 각각 0.7%와 99.3%정도 들어있다. 이것이 원자로 안에서 1~3년 정도 타고나면 U235는 0.8~1.0%정도 타지않은 채 남게되고 새로운 핵분열성 물질인 플루토늄(Pu)239가 0.5%정도 생기게 된다.

이처럼 사용한 핵연료 속에는 천연우라늄(약 0.7%)보다 더많은 U235가 남아있는데다 Pu까지 새로 생겨나 있기 때문에 그 자체가 핵연료 자원이 되는 것이다. U를 다시 농

再處理 공정

○ 우라늄　● 플루토늄　◐ 핵분열생성물　⊗ 被覆管 등 금속조각

수납·저장 → 절단 → 용해 → 분리 → 정제 → 저장

사용후 핵연료
저장고에 보관
핵분열생성물 분리
유리固化후 보관
U+Pu
Pu
우라늄
플루토늄

실용기술 보유국은 美·英·獨·佛 정도
단순한 자원再生이지만 방사능유출 위험커

축하거나 U와 Pu를 천연우라늄에 섞은 혼합산화물 핵연료(MOX)로 만들어 경수로용으로 쓸수 있으며, 고순도의 Pu를 만들어 고속증식로용 연료로도 쓸수 있는 것이다.

재처리란 이처럼 사용후 핵연료를 처리해 유용물질인 U와 Pu를 뽑아내는 과정으로 자원의 재활용 측면뿐 아니라 고준위 방사성물질인 사용핵연료의 부피를 30~40%정도 감소할수 있는 또 하나의 효과도 있다.

문제는 Pu가 핵무기의 원료로 전용될수 있다는 점에서 재처리및 그 시설이 늘 주목을 받게되는 것이다. 그래서 일정량 이상의 Pu는 국제원자력기

구의 감시를 받게되며 재처리 관련 시설은 수출제동목록(트리거 리스트)에 포함돼 있는 것이다.

재처리의 공정은 석유정제보다 단순한 화학공정으로 핵연료 수납시설과 저장조, 절단·용해실, 1차분리실, 2차분리실, 분리·정제실, 그리고 고준·저준환변 폐기물 저장시설로 나눠진다.

재처리공장으로 이송된 사용

★★★★★★★★★★★

텔스타

資源리사이클링학회 창립

한국자원리사이클링학회 창립총회겸 기념 심포지엄이 18일 延世大 알렌관에서 열린다. 이 학회는 환경오염의 주범인

후 핵연료는 일단 저장품에 보관했다가 절단실로 옮겨 5㎝정도로 자르고 용해조에 넣어 질산으로 핵연료를 녹인다. 핵연료가 들어있던 금속봉은 따져나가고 U와 Pu 혼합물은 화학적 성질의 차이를 이용해 분리한후 각각을 정제, 산화우라늄과 산화플루토늄등의 최종제품을 만들게 된다.

1t를 처리하기 위해서는 연간 물 40t, 전력 1억㎾, 질산 2천t이 필요하다. 정제 이전까지의 단계는 강한 방사능으로 매우 위험한 과정이어서 완벽한 차폐시설과 각종 시설재료는 耐蝕식·耐방사성등 특수 재료여야 하며 관이나 배관등은 2중으로 해야 하고 수백㎏용을 들수 있는 크레인을 포함해 보수·유지·조종을 원격으로 할수 있는 시설(Hot Cell)이 필요하다.

재처리기술 자체는 우리도 실험실적으로 하고 있을 정도로 간단하지만 이같은 시설을 갖추기가 우리로서는 힘든 일이다.

현재 상업적으로 재처리를 하고 있는 나라는 영국·프랑스·독일정도다. 미국은 시설은 많으나 중단하고 있으며 이밖에 스페인·인도·일본·벨기에·이탈리아등이 소규모 실험시설을 갖고 있다.

〈辛鐘牛기자〉

0067

在美사업가가 본 DB·S/W산업 세미나

한국데이타베이스산업진흥회·한국정보처리산업진흥회·한국소프트웨어산업협회는 中央日報社 후원으로「在美 사업가가 본 데이타베이스산업 및 소프트웨어산업」세미나를 개최합니다.

이번 세미나에서는 美國 마리타임 컴퓨터社 사장인 鄭然泰박사가 ▲한국 S/W산업의 문제점과 해결방안 ▲미국 DB산업의 현황과 전망에 대해 발표합니다. 관심있는 분들의 많은 참여를 바랍니다.

◇일　시 : 92년 6월17일 오후 2시~4시30분
◇장　소 : 한국통신 소프트웨어플라자 세미나실(용산 전자상가내)
◇참가비 : 없음
◇문　의 : ☎5764~6

한국과학기술연구원 환경복지연구단 연구실. 화석연료의 이산화탄소방출의 세계적인 규제조치가 눈앞에 다가온 가운데 국내에서도 2030년까지는 대체에너지개발이 완료돼야한다는 의견이 제시됐다.

중점돼야

추진등 제시

성단계에 있는 건물의 복합에너지절약·열병합발전·폐열회수 기술등이다.

2010년까지 확보해야하는 중기목표는 환경규제에 대응하는 차원으로 연료전

공   란

공   란

공   란

관리 번호	92. 584

외 무 부

종 별 :

번 호 : MAW-0616

일 시 : 92 0617 1200

수 신 : 장 관 (미이)

발 신 : 주 말 대사

제 목 : 브릭스 위원장 보고서

대:WASN-14

대 주재국 및 언론 홍보에 필요한 바, 대호 IAEA 브릭스 위원장의 방북결과 관련 IAEA 이상국에 대한 브리핑 이외에 정식 보고서가 제출되었으면 동 주요 요지를 FAX 송부 바람. 끝.

(대사 이상구-국장)

예고 : 92.12.31 일반

검토필 (1992. 6. 20.)

보통문서로 재분류(1992. (2. 31)

마주국
동기축
PAGE 1

0071

92.06.17   13:48
외신 2과 통제관 FS

IAEA(국제원자력기구)의 대북한 핵시설 사찰, 1992. 전6권 (V.5 6-8월) 219

발 신 전 보

		분류번호	보존기간

번 · 호 : **WMA-0519**   920618 1516 WG   종별 : <u>암호송신</u>

수 · 신 : 주 말   대사. /총영사

발 · 신 : 장 관 (국기)

제 · 목 : IAEA 사무총장 보고서

　　　　대 : MAW-0616

　　　대호 Blix 사무총장이 IAEA 이사회에서 6.16 보고한 내용중 북한과의 핵안전
협정 이행현황 관련 부분을 별항 fax 송부함.

　　별항 : fax 2매.　끝· **WMAF - 9**

　　예고 : 92.12.31 일반

　　　　　　　　　　　　　　검토필 (19 P2. 6.30~)

　　　　　　　　　　　　(국제기구국장　김 재 섭)

　　　　　　보통문서로 재분류됨 (92.12.31)

	보 안 통 제	ᄝᄝ

앙 고 재	92년 6월 상일 국제기구과	기안자 성명 김동명		과 장 ᄝᄝ	심의관 ᄀ	국 장 전경	차 관	장 관		외신과통제

0072

uranium. The Agency team has been given full access to any nuclear plant they wished to visit. The plants visited by the team included the decommissioned plant used for the production of high and low enriched uranium, the existing plant used to produce low enriched uranium, the decommissioned centrifuge enrichment project and the new laser enrichment project. The Agency has been offered assistance to visit any specific location(s) requested by the Agency in the Kalahari area. The Agency inspectors are in the process of auditing the historical accounting and operating records of the South African enrichment plants which go back over the past sixteen years, and are continuing to make measurements on the nuclear material to allow the Agency to come to a conclusion on the completeness of the South African initial inventory. A report on this matter will be presented at the Board's session in September and subsequently to the next General Conference.

The Democratic People's Republic of Korea

The safeguards agreement concluded with the Democratic People's Republic of Korea pursuant to the Treaty on the Non-Proliferation of Nuclear Weapons entered into force on 10 April 1992. The initial report on nuclear material and design information on nuclear facilities in the DPRK was provided to the Agency in a timely manner on 4 May.

Upon the invitation of the Government of the DPRK I paid an official visit to the DPRK, accompanied by three senior advisors, from 11-16 May. Shortly thereafter, from 26 May to 5 June, the first Ad Hoc Team of IAEA inspectors visited the DPRK to verify the initial declaration and assess the completeness of the declaration. Another visit to the DPRK

12-6

0073

by IAEA safeguards inspectors is planned to take place in a few weeks time and it is hoped that the general part of the subsidiary arrangements and some facility attachments may be ready for entry into force at that time.

In view of the strong interest among IAEA Members in the nuclear programme of the DPRK, we have released the non-confidential part of the initial report and information about my visit. I have also provided information at an unofficial briefing of the Board last week. May I say, on this occasion, that through the initial inventory submitted and through explanations given during my visit, a great deal of light has been shed on the nuclear programme of the DPRK. A difficulty exists regarding this programme, as for others, to assess the completeness of the initial declaration. The DPRK authorities have made operating records available to our inspectors and committed themselves to continue to do so. They have also assured us that officials of the Agency can visit any site and installation which they may wish to see, irrespective of whether it is found on the initial list submitted to the IAEA.

As I have often stressed, safeguards are an institutionalized and regulated form of nuclear transparency designed to create confidence. It may well be in the interest of States to go beyond the requirements of the safeguards system and show transparency in bilateral and regional relations in order to strengthen confidence and achieve detente. The bilateral Korean agreement on nuclear matters, if fully implemented, may bring precisely such transparency.

0074

외 무 부

관리 번호	92-374

종 별 :

번 호 : BAW-0247

일 시 : 92 0618 1400

수 신 : 장관(미이,국기,정특,아서,기정)

발 신 : 주 방글라데시 대사

제 목 : 북한 무장군인 침투사건및 IAEA 사무총장 방북결과(자응 92-59호)

대: EM-18, 14

1. 본직은 6.17(수) 오전 KHURSHID HAMID 아주국장을 면담, 5.22 발생한 북한 무장군인 침투사건의 개요, 북측의 MAC 불응배경 및 아측의 입장을 설명한바,동 국장은 아측입장에 대한 충분한 이해와 지지를 표시함.

2. 본직은 이어, 브릭스 사무총장의 방북결과를 설명, 특히 방사능 화학연구소의 핵 재처리시설, 플로토늄 검출 및 은닉 가능성은 남북 비핵화 공동선언의중대한 위반임을 지적함. 또한 핵시설 안정성의 결여로 인한 사고발생 위험은 주재국 지역까지 심각한 영향을 줄 가능성이 있으므로, 공동대처할 필요성이 있음을 강조함. 동 국장은 주한대사로부터도 여사한 보고를 접하였음을 전제하고, 북한의 핵 개발에 대한 깊은 우려를 표시함.

(대사 신성오-국장)

92.12.31 까지

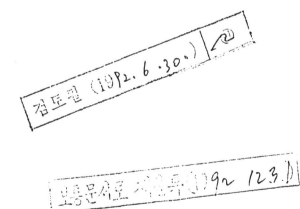

검토필 (1992. 6.30.)

보통문서로 재분류(92 12.3.1)

미주국   아주국   국기국   외정실   분석관   안기부

관리	
번호	92-591

외 무 부

종 별 :

번 호 : USW-3112   일 시 : 92 0618 1853

수 신 : 장관(미이,미일,~~김총~~,정안,국기), 사본:주오지리대사, 청와대외교안보

발 신 : 주미대사

제 목 : 하원 아태소위 수석전문위원 면담

보통문서로 ~~재~~분류(1994.12.31)

1. 당관 조일환 참사관은 6.17 하원 외무위 아태소위(위원장 STEPHEN SOLARZ)의 STANLEY ROTH 수석전문위원을 면담하고 북한 핵문제에 대해 상호 의견을 교환한바 요지 다음 보고함(안총기 서기관 배석).

2. 조참사관은 최근 BLIX IAEA 사무총장의방북, IAEA 임시 사찰결과 및 남북핵봉제 공동위원회의 상호사찰 협의 진행상황을 상세히 설명한후 BLIX 사무총장의 방북 및 임시 사찰을 통해 북한이 핵재처리 시설을 건설중에 있다는 점과 풀루토늄을 생산했다는 점이 밝혀짐으로서 북한이 그동안 국제 사회에 거짓말을 해오고 있었다는 사실이 명백이 드러났으며 북한은 현재 IAEA 사찰을 최대한 활용, 남북 상호사찰의 필요성 및 핵개발 포기에 대한 국제적 압력을 희석시키기위해 노력하는 한편 경수로 원자료 기술을 제공받는 조건으로 핵 재처리 시설을 포기 할듯을 비치면서 남북비핵화 공동선언의 기본적 의무를 회피하려 하고 있다고 설명하고 기 생산된 풀루토늄의 은식 가능성 및 별도의 재처리시설 존재여부 확인등 핵의혹 해소를 위하여 상호 사찰의 실시가 무엇보다도 긴요하며 이를 위한지속적인 국제 압력이 요구되고있다고 언급함.

3. 이에대해 ROTH 전문위원은 상기 설명에 동감을 표하고 다음요지로 언급함

가. 91.12 월 솔라즈 의원 방북시 김염남 북한외교부장은 북한이 단 1 개의원자로를 보유하고 있을 뿐이라고 언급하였으나 지난번 북한이 공개한 비디오 테잎은 전혀 다른 내용이었는바 솔라즈의원은 북한이 거짓말을 하고있다는 사실을 오래전부터 알고 있었음.

나. IAEA 사찰은 북한이 재처리 시설 및 풀루토늄생산 사실을 확인 시켜 줌으로서 북한핵개발에 대한 국제사회의 새로운 의심을 불러 일으키는 한편 일본등주변국을 긴장시키고있는바 북한이 IAEA 사찰 허용을 통해 남봉상호 사찰을 회피하고 핵개발 에 대한 국제 압력 및 제재를 모면하고자 하는 전략은 성공하지 못하고 있음.

미주국 안기부	장관 중계	1차보	미주국	국기국	외정실	~~외정실~~	분석관	청와대

0076

PAGE 1   92.06.19   09:40

외신 2과 통제관 BZ

다. 향후 IAEA 의 북한 핵사찰 문제와 관련 아래 3 단계의 시나리오를 가상할 수 있다고봄.

첫째, 우선 단기적으로 IAEA 로 하여금 보다 철저한 사찰을 실시하도록 하는것임. 북한이 풀루토늄을 생산한 사실이 알려진 이상 IAEA 는 북한이 재처리 연료를 얼마나 사용했는지, 어떠한 사설로 풀루토늄을 생산했는지등 풀루토륨생산의 OPERATING RECORD 을 요구하게 될 것이며 이러한 과정을 통해 북한이 생산한 풀루토늄의 양, 별도 재처리 시설문제 여부등 북한이 밝히지 않고있는 내용을파악할수 있게 되는 경우임.

둘째, IAEA 가 사찰을 종료하게 될때까지도 북한의 핵무기 개발에 대한 특별한 내용이 밝혀지지 않을경우 미.일.유럽등 한국의 우방국들은 한반도 비핵화 공동선언에 의거 IAEA 사찰시 북한에 존재하고있는 것으로 이미 밝혀진 핵재처리시설을 폐기(DISMANTLE) 하도록 요구할수 있을것임. 한반도 비핵화 공동 선언은남북한이 상호 핵재처리 시설을 보유하지 못하게 하고 있다는 점에서 매우 유용하고 중요하며 따라서 상호 사찰 실시를 위한 협상에 진전이 없더라도 동 선언을 절대 파기해서는 안된다고봄.셋째, 가능성이 매우 희박한것으로 보지만 북한이 핵재처리 시설을 폐기하는경우 미.일로서도 북한과의 관계를 적절한 방법으로 다소 발전시키게 될 것으로 봄.

4. 조참사관은 IAEA 사찰을 통해 북한 핵개발에 관한 모든 의혹이 완전히 해소 된다면 다행이겠으나 이락의 경우에서 보았듯이 IAEA 사찰이 완벽하지 않으므로 남북한 상호사찰이 반드시 이루어져야 할 것이라고 설명하고 이를 위해 우방국들에 의한 대북한 압력을 계속 가중시켜 나가는것이 중요하다고 강조함.

5. 이에대해 ROTH 전문위원은 남북한 상호사찰의 중요성에는 자신도 전적으로 동감하며 솔라즈의원도 상호사찰 실시 문제에 진전이 있기를 기대하고 있다고말하고 다만 IAEA 는 이락에 대한 핵사찰에서 실패한 경험이와 있기때문에 북한에 대한 사찰은 보다 철저한(TOUGH) 방법으로 실시해 나갈 것으로 보며 또한이락에 대한 사찰때와 달리 현재는 IAEA 이사국간에 긴밀한 상호 정보교환을하고있기 때문에 IAEA 사찰이 이락의 경우와는 다를것이며 현재까지는 당초 예상 보다는 긍정적인 결과를 낳고있는것으로 본다고 언급함.

6. 조참사관이 북한 핵문제에 관한 청문회 개최 계획에 진전이 있느냐고 문의한데 대해 ROTH 전문위원은 솔라즈 의원이 BLIX IAEA 사무총장으로 하여금 아태 소위

청문회에 증언토록 할목적으로 BLIX 사무총장의 방미를 동총장 북한 방문 직전에 구두초청 하였으나 BLIX 사무총장은 IAEA 사찰팀이 북한을 다녀온후 검토 하자고 응답한바 있다고 말하고 조만간 BLIX 사무총장 에게 다시한번 방미를 초청할 예정이라고 언급함. ROTH 전문위원은 또한 GATES CIA 국장을 공개 청문회에서 증언토록 하는것을 검토하고 있다고 언급함. 끝

　(대사 현홍주- 국장)

　예고: 92.12.31 일반

PAGE 3

0078

	분류번호	보존기간

발 신 전 보

WAV-0977   920620 1427 CO

번   호 : _____   종별 : _____

수   신 : 주 오스트리아   대사 . 총영사

발   신 : 장 관 (국기)

제   목 : 북한 핵 의혹

측으로 부터
IAEA 사무국의 Jennekins 안전담당사무차장 또는 Theis 과장을 적절한 시기에
면담하여 하기사항을 문의하고 결과 있는대로 보고바람.
이 대하여대략,

1. 핵무기 개발능력과 연계된 북한의 핵개발 능력과 수준에 대한 IAEA의 최종
   평가는 언제 내릴 수 있는지 ?

2. 북한의 방사능 화학실험실에 설치된 3개의 hot cell 용량은 어느정도인지
   또 다른 장소에 설치된 hot cell이 있는지 여부와 그 용량은 어떠한지 ?

3. IAEA 사찰단이 북한에서 추출하여간 플루토늄의 순도 상태(핵무기 제조에
   적합한 것인지 여부)?   끝.

여2 : 92. 6. 30 일반

(국제기구국장   김 재 섭)

	보 안 통 제	

앙 고 재	92 년 6 월 20 일	국 기 과	기안자 성명		과 장	심의관	국 장		차 관	장 관	

		외신과통제

0079

분류번호	보존기간

발 신 전 보

번 호 : WAV-0990   920624 1840 DG   종별 :

수 신 : 주 오스트리아 대사 . 총영사

발 신 : 장 관 (국기)

제 목 : 대북한 핵사찰

연 : WAV-0977

1. 연호, IAEA의 제2차 임시사찰 실시 시기가 결정되었는지와 이번 사찰의 주요
목적 및 사찰대상에 관해서도 문의후 보고바람.

2. 제2차 임시 사찰 실시 시기말 것과 이대한 IAEA측의 보도관련 사항도
아울러 문의, 보고바람

예고 : 92.6.30 일반. 끝.

(국제기구국장 김 재 섭)

보통영사교체분류(1992. 6.10)

		기안자성명		과 장	심의관	국 장		차 관	장 관	보안통제
앙고재	92년 6월 24일 국제기구과	신종이								외신과통제

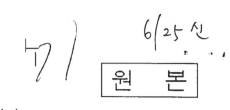

원 본

관리 번호	92-600

외 무 부

종 별 :

번 호 : AVW-1031　　　　　　　　일 시 : 92 0624 1930

수 신 : 장 관(국기,미이,기정,과기처) 사본:국방부장관

발 신 : 주 오스트리아 대사

제 목 : 제2차 북한 핵사찰

1.6.23(화) IAEA 안전조치부 THEIS 과장(SECTION HEAD, OPERATION A3)에 의하면 표제 제 2 차 사찰팀은 7.9 당지를 출발, 7.11 평양에 도착하는 것으로 잠정 일정을 준비하고 있다 하며, 금번 사찰은 약 10-11 일 동안 실시될 것이라 함. (북경-평양, 평양-북경간 항공편이 매주 토요일, 월요일및 화요일 밖에 없어 일정을 짜는데 애로가 많다 함)

2. 제 2 차 사찰팀 구성은 동인을 단장으로 기지정된 대북한 사찰관중에서 수명을 조정 새로 구성될 것이라 함.

3. 동인은 93.4 월경 JENNEKENS 안전조치 담당 사무차장과 VOLKMAR SCHURICHT 안전조치부 OPERATION(A) 국장이 은퇴할 예정이라 함(동인은 SCHURICHT 국장후임에 관심이 있음을 시사)

4. 본직은 동인과 6.26(금) 만찬 예정인바 임시사찰 결과, 보조약정 체결 진전사항 등을 포함한 의견 교환을 갖고 동 결과 추보하겠음. 끝.

(대사 이시영-국장)

예고:92.12.31 일반.

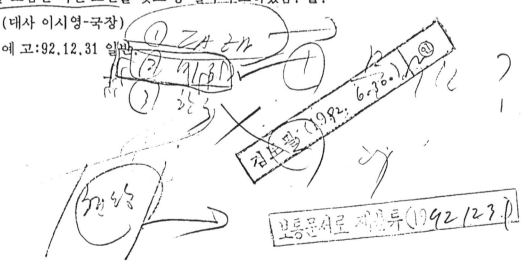

국기국　장관　차관　1차보　미주국　분석관　청와대　안기부　국방부
과기처

공   란

공   란

공   란

공   란

공   란

공   란

공 란

공   란

공   란

공   란

공   란

공   란

공   란

공　　　　　란

공 란

공 란

공   란

분류번호	보존기간

발 신 전 보

WAV-1053   920706 1637 CO

번 호 :   종별 : 지급

수 신 : 주 오스트리아   대사 .총영사(깊이기 참사 라)

발 신 : 장 관 (국기 박열회)

제 목 : 제2차 IAEA 임시사찰 실시

대 : AVW-1031

연 : WAV-0990

1. 제2차 임시사찰 실시 관련 국내신문은 일본 교토통신 내용을 인용, 금일
(7.6)부터 2주간 실시할것이라고 보도한 바 있음.(7.3자 국내신문 Fax 참조)

2. 이와관련 국내언론 대책에 필요하니 ~~대로 대응 대로~~ IAEA가 7.11부터 약
10일간 사찰을 실시 ~~할 것인지와 동 구체일시 계획을 IAEA~~ 예정을 공식 발표할 것인지를 확인,
~~IAEA에 문의 지급~~ 동보 바람.

3. IAEA가 공식 발표치 않은경우 본부의식 발표 (사본가문안) 한켓을 고려하시 예고 : 92.12.31 일반   있음을 ~~한근바람~~

확인 해주어야 한 형편로 있는 라가라 측이 실매하여 양해는구니비나녹. 끝

(국제기구국장 검 재업)

보통문서로 제분류(1992.12.31)

보안통제	외신과통제

0099

외 무 부

| 관리번호 | 92-623 |

종 별 :

번 호 : AVW-1084

수 신 : 장 관(국기)

발 신 : 주 오스트리아 대사

제 목 : 제2차 IAEA 임시 사찰

일 시 : 92 0706 1930

대:WAV-1053

연:AVW-1031

1. 제 2 차 IAEA 임시사찰단은 예정을 앞당겨 7.4(토) 당지를 출발하였으며, 7.6 평양에 도착 사찰을 실시 한후 7.17 경 당지 귀임 예정이라함.

2. IAEA 사무국측에 탐물한바에 의하면 북한과의 보조약정 체결문제는 최종문안에 거의 합의하여 7.10 시한내에 체결될 것으로 본다 함.

3. 금번 제 2 차 사찰단은 THEIS 단장을 포함 5 명으로 구성되었다함.

4. 금번 제 2 차 사찰단 방문 관련 IAEA 측은 별도의 대외 발표계획은 없으나 언론의 개별문의에 대하여는 상기 1 항과 같이 답변할 것이라함. 따라서 아측이 언론의 문의에 대해 상기 1 항을 확인해 주는것을 양해하였음. 끝.

(대사 이시영-국장)

예 고:92.12.31 일반.

보통문서로 재분류(1992.12.31.)

| 국기국 | 장관 | 차관 | 1차보 | 구주국 | 외정실 | 분석관 | 정와대 | 안기부 |

관리 번호	92-626

외 무 부

기

종 별 :

번 호 : AVW-1099

일 시 : 92 0708 1800

수 신 : 장 관(국기,과기처)

발 신 : 주 오스트리아 대사

제 목 : IAEA/북한 안전조치 협정 보조약정 체결

표제관련 김의기참사관이 금 7.8 IAEA 사무국 관계관으로 부터 탐문한 바를하기 보고함.

1. IAEA 는 북한과 협의가 끝난 보조약정 최종문안(GENERAL PART 및 시설부록 일부)을 북한측에 전달하였으며, 북한측이 수락통보를 7.10 시한내에 할 것으로 기대하고 있다함.(동 관계관은 7.7 최종 문안 전달시, 북한측으로 부터 시한내 수락 통보 암시가 있었음을 시사하였음)

2. 동 관계관에 의하면 상기 보조약정 최종문안 제의시 첨부된 시설부록은 IAEA 의 포괄적 안전조치 협정 체결이전부터 INFCIRC/66 협정에 따른 안전조치 적용을 받던 연구용 원자로와 핵물리 연구소 임계시설에 관한 것이며 포괄적 안전조치 협정에 따라 신규로 IAEA 의 안전조치 적용을 받게된 시설과 관련한 시설부록은 포함되지 않은 것으로 알고 있다함.

3. 이들 신규 안전조치 대상 시설에 대한 시설부록은 북한이 제출한 설계정보에 입각한 IAEA 측의 설계 검증결과가 나온후 이를 토대로 추후 북한측에 초안을 제시할 것이라 하며, IAEA 는 보조약정의 일반부분과 시설부록에 대한 교섭을별도로 분리하여 진행하는 것이 일반적이라함.

4. 안전 조치 대상 시설에 대한 사찰은 연구용 원자로는 년 1 회, 발전용 원자로는 년 4 회, 산업적 재처리시설은 계속적(CONTINUOUS) 사찰을 실시한다 함.

5. 북한의 방사화학 실험소에 대한 년간 사찰 빈도는 설계검증이 완료된후 IAEA 가 결정할 것이라 하며, 핵시설에대한 사찰빈도는 IAEA 측이 일방적으로 결정한다 함(교섭대상이 아님). 또한 현재 건설중인 50MW 및 200MW 발전용 원자로에 대한 사찰은 이들 시설에 핵물질이 반입된후에 실시될수 있다 하며, 그 전단계에서는 설계 검증만을 할수 있다함. 끝.

국기국	장관	차관	1차보	외정실	분석관	정와대	안기부	과기처

92.07.09 02:26

외신 2과 통제관 BZ

0101

(대사 이시영-국장)
예 고:92.12.31 일반.

0102

2. IAEA-北韓 核安全措置 補助約定 締結

ㅇ 表題관련, 7.8 우리側 關係官이 IAEA 事務局 關係官으로부터
探聞한 바에 의하면 IAEA側은 北韓과 協議가 끝난 補助約定
最終文案을 北韓側에 이미 전달하였으며, 北韓側이 7.10
時限내에 이에 대한 受諾通報를 할 것으로 期待하고 있다고
하는바, 관련事項은 아래임.

- 補助約定 締結時 첨부될 施設목록은 包括的 安全措置 協定
締結以前부터 安全措置 適用을 받던 研究用 原子爐와 核
物理 研究所 임계施設에 관한 것임.

- 同 査察은 研究用 原子爐 년1회, 發電用 原子爐 년4회, 産業
再處理施設에 대해서는 계속적으로 실시하며, 放射化學
實驗所에 대한 査察회수는 設計檢證이 완료된 후 IAEA側이
決定할 예정임.   (駐오스트리아大使 報告)

0103

분류번호	보존기간

발 신 전 보

WAV-1070　　920709 1658　WG

번　　호 :　_____　종별 : 긴급

수　　신 : 주 오스트리아　　대사 ./총영사

발　　신 : 장 관 (국기)

제　　목 : 대북한 핵사찰 현황 파악

대 : AVW-1099, 1048　　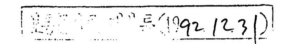 통구(1992 1231)

　　1. 대호, 북한의 보조약정 체결 및 IAEA의 대북한 사찰 실시 관련 아래사항에
대하여 수시로 파악 보고 바람.

　　　　가. 북한-IAEA간 보조약정 체결일자, 장소 및 양측의 서명자

　　　　나. 보조약정 체결후 각 시설별 부록 작성 완료 예상시기

　　　　다. 시설부록 작성에 따른 IAEA측의 최초 정기사찰 실시 예상시기

　　　　　　ㅇ 각시설별 정기사찰 실시 빈도, 방법등에 관한 내용도 포함

　　　　라. 제2차 임시사찰 실시후 IAEA가 그간의 사찰 결과 및 북한 핵개발
　　　　　　현황에 대한 종합평가를 언제쯤 내릴 수 있을 것인지?

　　　　　　ㅇ 이와관련 지난 6.18. 사무총장의 비공식 브리핑과 같은 설명계획이
　　　　　　　 있는지?

	보　안 통　제	RI

앙 고 재	92 년 7 월 9 일	국 기 기 구 과	기안자 성 명		과 장		국 장		차 관	장 관		외신과통제
			신종익		RI		전결					

0104

ㅇ 임시 및 정기사찰 실시 결과를 종합하여 92.9월이사회에서 IAEA의

공식적인 평가를 보고할 수 있을 것인지?

- 북한이 보고한 내용의 성실성 여부와 신고된 것외에 의혹 핵시설

및 물질 존재여부등

마. 정기사찰을 포함한 IAEA의 향후 종합적인 대북한 사찰 실시계획

2. 상기관련 북한의 핵시설별 부록(facility attachment) 사본/ 입수~~하고~~

관련 정보/ ~~수집할 수 있도록 최대한 노력~~ 바람. 끝.

예고 : 92.12.31 일반

(국제기구국장 김 재 섭)

主要外信報告

受信 : 外務部長官 (寫本 : 次官, 靑瓦臺狀況室, 國務總理當直室)

發信 : 外務部 特別狀況班長　　　　　　日時 : 1992. 7. 10 (금) AM/PM 19 : 40

題目 : IAEA 북한핵 보조약정서 정식발효

(서울=聯合) 北韓이 국제원자력기구(IAEA)와 체결한 核안전협정에 따른 보조약 정서가 10일 정식 발효됐다.

오스트리아주재 北韓대표부는 10일오전(현지시간) IAEA측과 협의한 보조약성서 문안을 수락하겠다는 뜻을 IAEA측에 서면통보함으로써 보조약정이 이날자로 발효됐 다고 외무부가 밝혔다.

核안전협정 서명국은 협정발표후 90일이내에 핵안전협정에 규정된 절차의 시행 방법과 사찰대상및 시설을 구체적으로 명시한 보조약정을 체결하도록 되어 있는데, 北韓은 지난 4월10일 핵안전협정을 발효시킨바 있다.

北韓의 核시설및 물질에 대한 IAEA의 정기사찰은 보조약정서 체결에 이어 사찰 대상별 시설부록이 마련되는 대로 실시하게 되는데, 북측은 아직 IAEA측이 제시한 시설부록에 대해서는 공식입장을 표명하지 않고 있다.

외무부의 한 당국자는 "北韓이 지난 5월4일 IAEA측에 제출한 16개 시설중 우리 의 주된 관심대상은 ▲5MW급 핵발전 실험원자로 ▲방사화학실험실 ▲연료봉재조시설 ▲임계로등 4개 시설"이라고 전하면서 "IAEA가 이러한 시설들에 대해 연간 사찰횟수 와 기간등을 북측과 합의하는대로 정기사찰이 시작될 것"이라고 말했다.

이 당국자는 "IAEA측은 오는 16일 對北 제2차 임시사찰단이 돌아오는대로 사찰 결과를 토대로 일부 核시설과 물질에 대한 시설목록을 다시 점검한뒤 북측과의 협의 에 들어갈 것"이라고 말하고 시설목록을 작성하는 과정에서 미진한 부분이 있을 경 우 IAEA측은 對北임시사찰을 추가 실시할 수 있다고 말했다.

이 당국자는 또 "IAEA는 록정시설에 대한 시설부록을 작성하는대로 정기사찰에 들어갈 수 있으며, 첫 사찰의 시기는 IAEA측이 정하도록 되어 있다"고 말해 빠르면 이달중 IAEA의 첫 정기사찰이 이뤄질 수도 있음을 시사했다.

IAEA측은 지난 6월 이사회에서 핵시설에 관한 설계정보를 공사시작 1백80일전에 제출하도록 규정을 개정함에 따라 북측이 건설하려는 일부 核시설에 관한 설계정보 를 제출하도록 요정했으며, 북측은 현재 이의 수락여부를 놓고 논의중이라고 이 당

0106

외 무 부

종 별 : 긴 급

번 호 : AVW-1115　　　　　　　　　　일 시 : 92 0710 1100

수 신 : 장 관(국기,미이,과기처)

발 신 : 주 오스트리아 대사

제 목 : IAEA/북한 안전조치 협정 보조약정 체결

　　대:WAV-1070

　　연:AVW-1099

　　1. 당지 북한대표부는 금 7.10 IAEA 측에 보조약정 최종문안(GENERAL PART)을 수락한다고 공식 통보하여 왔으며 이로서 금일자로 북한,IAEA 보조약정이 발효 되었다함. (교환 공한 형식의 약정임)　(7,10)

　　2. 연호 보고와 같이 시설부록은 기술적인 사항이 많아 봉상적으로 GENERAL PART 와 별도로 교섭을 하고 있다 하는바, 시설부록에 대한 교섭 상황및 정기사찰 예정시기등에 관하여는 계속 탐문 보고하겠음. 끝.

　　(대사 이시영-국장)

　　예 고:92.12.31 일반.

보통문서로 재분류(1992.12.31)

국기국　　장관　　　차관　　　1차보　　미주국　　상황실　　외정실　　분석관　　청와대
안기부　　과기처

PAGE 1　　　　　　　　　　　　　　　　　　　　　　　92.07.10　　19:24
　　　　　　　　　　　　　　　　　　　　　　　　　　　외신 2과 통제관 BS
　　　　　　　　　　　　　　　　　　　　　　　　　　　　　0107

IAEA(국제원자력기구)의 대북한 핵시설 사찰, 1992. 전6권 (V.5 6-8월)　255

1. IAEA-北韓 核安全措置 補助約定 締結(2)   7/11 ~   기

○ 7.10 비엔나駐在 IAEA 北韓代表部는 IAEA側이 提示한 核安全
措置協定 補助約定 最終文案을 受諾한다는 입장을 公式 通報
하므로써 同 約定이 7.10字로 發效됨.

(駐오스트리아大使 報告)

외 무 부

관리번호 92-648

종 별 :

번 호 : AVW-1158
수 신 : 장 관(국기,미이)
발 신 : 주 오스트리아 대사
제 목 : BLIX 사무총장 미국 방문

일 시 : 92 0720 1800

대:WAV-1113

연:AVW-1142,1084

1. IAEA 사무국 SAFEGUARDS DEPARTMENT 관계관에 탐문한바에 의하면 금번 BLIX 총장 방미시 미하원 소위원회에서 실시할 브리핑 내용에 제 2 차 임시사찰 결과는 포함되지 않을 것으로 알고 있다함.

2. 또한 동 관계관에 의하면 제 2 차 사찰단은 7.21(화) 당지 귀환 7.22 부터 근무할 것이라 하는바, 제 2 차 임시사찰 결과에 관하여는 동 사찰단 귀임후 탐문보고 하겠음(제 2 차 사찰단으로 부터 사찰과 관련된 사항에 관한 보고는 아직까지 없었다함)끝.

(대사 이시영-국장)

예 고:92.12.31 일반.

보통문서로 재분류(1992.12.31)

국기국   미주국

	Reference		
Code	General Part (Code)	Agreement (Articles)

* 보광부정서 천부 시선부족 (Facility Attachment)에 규정단 사찬넛두

3   Safeguards Measures

3.1   2.1.2   29   Accountancy

3.1.1   46(b)   Material balance areas and their identification codes:

The Kori Nuclear Power Plant Unit 1 reactor facility (Kori Unit 1), KOC-, constitutes one material balance area: KO-C

3.1.2   46(b) 98 K 98 S   Strategic points which are key measurement points (KMPs) (for their specifications see Code 4):

(a) For determination of nuclear material flow:

     KMP 1: Receipt of nuclear material, de-exemption, accidental gain

     KMP 2: Nuclear loss (burn-up) and production in fuel discharged from the reactor*/ and nuclear loss from Pu-241 decay upon shipment

     KMP 3: Shipment of nuclear material, exemption, accidental loss

(b) For determination of physical inventory:

     KMP A: Fresh fuel storage

     KMP B: Reactor core

     KMP C: Spent fuel storage

     KMP D: Other locations of nuclear material at the facility

3.1.3   2.1.1   46 (c)   ✓ Physical inventory taking:

Nominal timing: Once a year

As soon as possible after completion of each refuelling and before the reactor is closed again. In cases of prolonged shutdowns of one year or longer, PITs shall be performed once every twelve months.
Procedures: Item counting and identification. Preparation of an itemised inventory list for each inventory KMP, including identification number, material description, quantity of nuclear material and location of each item for each inventory KMP.

---

*/ Fuel removed from the reactor shall be considered as discharged if it remains out of core for a longer time than the duration of a routine refuelling shutdown.

각 시선원은 특성이 다름 (e.g. CANDU 원자로 - 45 mandays 경영가압원자로 - 25 man days

0110

JUL 08 '92 17:43

P.2

Date of entry into force: Text prepared on: 1988-04-14

Code	Reference		Inspections
	General Part (Code)	Agreement (Articles)	
7.	11	78, 80	**Inspections**
7.1	10		**Mode of routine inspections**
			Intermittent
7.2		80	**Applicable formula and procedure for determination of maximum routine inspection effort**
			Article 80(a) of Agreement
7.3	10	78, 81	**Indication of the actual inspection effort under ordinary circumstances**

An estimate of the actual routine inspection effort, as far as can be foreseen and assuming

(a) cirumstances at the facility to be as described in the information provided in respect of the facility;

(b) the continued validity of the information on the national system of accounting for and control of nuclear material, as set out in the General Part;

(c) there shall be one refuelling and not more than two irradiated fuel shipments per year, and/or

(d) that there are means of correlating the identity and number of fuel assemblies in the spent fuel pond at the reactor site and in the reception pond at the reprocessing plant;

                          <u>15 man-days per year.</u>

| 7.4 | | 74, 75 | **Indication of the scope of routine inspections under ordinary circumstances** |

7.4.1   General

- Examination of the records, verification for self-consistency and consistency with reports.

7.4.2   At inventory KMPs:

- Verification of the inventory, e.g. by item counting, identification and integrity checks, non-destructive measurements of fresh and irradiated fuel. Application, examination and removal of Agency seals.

0111

관리 번호	92-650

7/ 원 본

외 무 부

종 별 :

번 호 : AVW-1167 일 시 : 92 0721 1800

수 신 : 장 관(국기,과기처)

발 신 : 주 오스트리아 대사

제 목 : IAEA 방북 임시 사찰팀 귀임

1. WILLI THEIS 일행이 임무를 마치고 북경, 쥬리히 경유 7.21 20:40(SR-436편) 비엔나에 도착 예정임.

2. 상기 일행은 명 7.22 부터 정상근무를 하며, 특기사항을 입수하는대로 보고 예정임.끝.

(대사 이시영-국장)

예 고 : 92.12.31 일반.

보통문서로 재분류(1992.12.31.)

국기국 구주국 과기처

북한의 핵 안전조치협정 발효후 IAEA 사찰실시 과정

92.7.22. 국제기구과

1. 협정의 발효

   o 발효일은 협정 비준 사실에 대한 북한정부의 서면
     통고를 IAEA가 접수한 일자

   (92.4.10발효)
   ★ 이하 4.10.발효
   따른 각단계별
   최대한 일자

2. 사찰대상 모든 핵 물질에 대한 최초 보고서 (initial
   report) 를 IAEA에 제출

   o 발효 해당월의 최종일로 부터 30일 이내

   92.5.31 까지
   제출
   (92.5.4 제출)

3. 최초보고서 내용에 대한 IAEA의 임시사찰 (ad hoc in-
   spection) 실시

   o 임시사찰을 위한 사찰관 임명은 가능한한 안전조치협정
     발효후 30일 이내 완결

   o 북한은 상기 IAEA 사찰관 임명 수락 여부를 제의받은
     후 30일 이내에 사무총장에게 통보

   o IAEA는 사찰관 수락회보 접수후 최소한 1주일전 북한에
     통보후 사찰관 파견

   92.6월16일경
   실시 가능

   (제1차 임시사찰
   92.5.25-6.6 실시)

   (제2차 임시사찰
   92.7.6-20 실시)

4. 보조약정서(하기 5항) 체결 협의기간중 기존 핵시설 관련
   설계정보 (design information)를 IAEA에 제출

   o 설계정보는 재처리시설 관련 정보도 포함하여 각 시설별
     설계정보 설문서(Design Information Questionnaire)답변
     형식으로 제출

   92.4.10-7.10
   사이

0113

IAEA(국제원자력기구)의 대북한 핵시설 사찰, 1992. 전6권 (V.5 6-8월) 261

o 제출된 설계정보 검증을 위해 IAEA는 북한에 사찰관 파견
  (임시사찰과 같은 절차를 거쳐 파견)

5. 보조약정서 (subsidiary arrangement) 체결 및 발효   (92.7.10 발효)

o 협정에 규정된 안전조치 절차와 시행방법을 구체적으로
  명시하는 보조약정서를 IAEA와 체결

o 보조약정서는 일반원칙(general part) 부분과 부속으로
  첨부되는 사찰대상 핵시설(북한의 경우 우선 가동중인
  5개시설 정도)별 시설부록(facility attachment)으로
  구성

  - 시설부록은 IAEA가 북한이 제출한 설계정보 내용을
    확인한 후 작성하는 바, 통상 IAEA의 임시사찰을
    통하여 확정

  - 시설부록의 내용은 사찰기간, 횟수, 시점, 절차등을
    시설별로 기술

  * 7.10 발효된 북한의 보조약정에는 1978년이래 자발적
    으로 사찰받아온 2개시설(제1 연구용 원자로와 임계로)
    에 대한 시설부록이 우선 첨부된 것으로 보임

6. 사찰관 임명 을 위한 사전 협의

o 사무총장은 북한에 대해 IAEA 사찰관 임명에 대한 동의를
  서면으로 요청

o 북한은 임명동의 요청 접수후 30일 이내에 수락여부를   92.8.8 경
  사무총장에게 통고

  * 사무총장은 필요에 따라 보조약정 체결전이라도 북한   92.3 IAEA의 대
    에 사찰관 임명 동의 요청 가능   북한 사찰단 명단
                                                           15명(서방국적으로
  * 일단 임명동의를 받은 사찰관들은 향후 사찰을 위해   는 독일,핀랜드,
    북한 재입국시 임명동의 재요청 불필요   오지리 각1인)확정

0114

7. 일반사찰 (routine inspection) 실시

　o IAEA는 보조약정의 시설부록이 완결되는 대로 각 시설별
　　로 일반사찰 개시

　o IAEA는 사찰관 임명동의 접수후 사찰실시 1주일전 북한애
　　사찰관 파견 사전통보

　o 사찰관 북한 입국, 일반사찰 실시

빠르면 92.8.15경
제1차 일반사찰
실시(단, 보조약정
부속인 시설부록이
완료된 핵시설을
대상으로 함)

8. 특별사찰 (special inspection) 실시

통상적으로 일반
사찰실시후 필요
시

　o 특별사찰온 사찰을 통해 획득한 정보가 협정에 따른
　　책임 이행에 충분치 못하다고 판단될 때 실시

　o 따라서 북한의 미신고 핵물질 및 시설에 대한 의혹이
　　있을 경우 IAEA 이사회 결정에 따라 특별사찰 실시가능

　　* 92.2월 IAEA이사회는 IAEA가 상기 핵관련 추가정보를
　　　입수하여 관련장소를 조사할수 있는 권한을 갖고 있음
　　　을 재확인

　o 쌍방 합의후 가능한한 빠른 시일내 사찰관 파견 사전
　　통보후 실시

　　* 북한은 IAEA 관리가 원한다면 어떠한 장소애도 방문
　　　을 허용하겠다고 언급하였으나 이것이 특별사찰을
　　　의미하는 것은 아니라는 입장임

끝.

0115

공   란

공 란

외 무 부

종 별 :

번 호 : AVW-1187 일 시 : 92 0724 1900

수 신 : 장 관(미이,국기,정특,구이)

발 신 : 주 오스트리아 대사

제 목 : 북한대사 기자 회견

자료응신 43 호

1. 당지 북한대사 박시웅(양자관계 대사)은 7.23(목) 15:00-16:00 당지 국영 APA 통신사에서 북한 핵문제 관련 인터뷰를 가졌다함(APA 통신, 독일 통신 DPA 및 동구권 통신기자 1 명등 참석, 북한대표부 윤호진 참사관및 김광식 서기관동석)

2. 동 회견에서 북한측은 윤참사관의 별첨 발표문 낭독및 박대사의 질의 응답을 통해 북한이 IAEA 의 핵사찰에 최대한 협조하고 있다는 점, IAEA 의 핵사찰제도가 중요하며 쌍무적인 사찰제도 강조는 IAEA 사찰제도의 신뢰를 손상시키는 것이라는 점, 한반도 비핵화 선언에 따른 남북한 상호사찰 문제는 한국민의 내부 문제라는 점, 북한은 IAEA 사찰을 성실히 받고 있으나 북한측의 미핵기지에대한 사찰요구는 받아들여지지 않고 있다는 점, 한국내 미핵무기 문제는 미국과 협의를 필요로하나 미국은 북한과의 협의에 응하지 않고 있으며 남북한 상호사찰 협상에 진전이 없는것은 미국의 책임이라는 점등을 강변하였다고 함.

3. 또한 북한측은 회견후 한 참석자에게 한반도 비핵화 선언및 남북한 상호사찰 문제 관련 한국측과의 협상 경과를 9 월 까지 기다려 본후 진전이 없으면10 월중에 체코 프라하에서 한반도 통일및 비핵화 문제에 관한 대규모 국제회의를 개최코저 한다고 말하였다고 함.

4. 상기 북한측 발표문및 APA 통신의 관련 기사 전문 별첨 FAX 송부함.

별첨:AVW(F)-0180 4 매.끝.

(대사 이시영-국장)

미주국	장관	차관	1차보	구주국	국기국	외정실	분석관	정와대
총리실	안기부							

EMBASSY OF THE REPUBLIC OF KOREA

Praterstrasse 31. Vienna
Austria 1020 (FAX : 2163436)

No : _AVW(F) - 0180_ | Date 20 乃24 1900

To : 장 관(미이, 국기.정특.구이)

(FAX No :   )

Subject :

첨부

표지포함 5 매

Total Number of Page :

0119

P R E S S   I N T E R V I E W

Vienna, (23).July 1992

It is well known that after entering into force, on 10 of April 1992 , of the nuclear safeguards agreement between the Democratic People's Republic of Korea and the International Atomic Energy Agency under the Nuclear Non-Proliferation Treaty the DPRK is faithfully complying with the obligations undertaken by the agreement.

The International Atomic Energy Agency already performed second ad-hoc inspection in DPRK to verify the Initial Inventory Report and Design Information of nuclear facilities. The DPRK co-operated with the Agency inspection team to the possible extent.

We, on several occasions, have announced that our nuclear programme is devoted entirely to the peaceful purposes. And for transparency and openness of our nuclear programme we went further offering standing invitation to the Agency to visit any installation, it may wish, regardless it has been included in the list submitted to the Agency.

We are convinced that the peaceful nature of our nuclear programme will be proved by the ongoing inspections of the Agency.

The safeguards system of the International Atomic Energy Agency is an existing unique nuclear non-proliferation verification system. Many countries are demanding the strengthening of the Agency safeguards system. And it is well known that the meetings of the Board of Governors of the IAEA is developing its discussion on some measures to strengthen the safeguards.

The DPRK is interested in the strengthening of the Agency safeguards system and it will do its best to achieve efficiency of the safeguards.

1

0120

However, regretfully , there are some voices of western politicians which bring shadow to the role of the Agency safeguards. Having expressed their concern on our "nuclear programme" in international meetings they have alleged that effective "bilateral inspection regime" should be implemented in Korea.

In other words, they insist that since the Agency safeguards system is not efficient the more effective "bilateral inspection regime" should be created. Instead of strengthening the efficiency of the IAEA safeguards system to make it complete one the more effective "bilateral inspection" is called.

We believe that such allegation of some politicians will only increase doubt on the credibility of the Agency safeguards and will be detrimental to strengthening comprehensive nuclear non-priliferation regime. Such allegation, if continue, will pour cold water to our efforts to accept faithfully the Agency inspection.

The present safeguards system of the Agency has already been provided with all necessary legal provisions to verify compliance of its parties with the obligations undertaken by the Nuclear Weapons Non-Proliferation Treaty.

With regard to the North-South nuclear inspection under the Declaration on Denuclearizetion of the Korean Peninsula this is internal issue of the Korean nation and is being discussed, at present, in the North-South Joint Nuclear Control committee.

The internal issue of our nation is not subject of intervention by third party or international meetings.

At the meetings of North-South Joint Nuclear Control Committee we put forward realistic proposals to make North-South bilateral inspection a practical one capable of verifying the denuclearization status of the Korean peninsula and are doing our best for its realization.

0121

The safeguards of the International Atomic Energy Agency is compulsory to all parties of international Treaty. Therefore it should not be diminished or replaced by other "bilateral inspection".

In conclusion we would like once again to reiterate that the DPRK will scrupulously observe obligations undertaken by the safeguards agreement with the Agency and fully co-operate with the Agency for attainment of that goal.

Thank you.

3

0122

AUSTRIA PRESSE AGENTUR PAXBOX   02283605220 43222163438
Austria Presse Agentur
APA405 5 AA 0423   23.Jul 92

Nordkorea/Südkorea/USA/Atom

Nordkorea macht USA für Stillstand in Inspektionsfrage verantwortlich
Utl.: "Widersprüche in Erklärungen Washingtons und Seouls" =

    Wien (APA) - Nordkorea hat die USA dafür verantwortlich gemacht,
daß bei den Verhandlungen mit Südkorea über gegenseitige Inspektionen
von Atomanlagen keine Fortschritte erzielt werden. Solange es für
Nordkorea nicht möglich sei, sich davon zu überzeugen, daß wirklich
alle amerikanischen Atomwaffen aus Südkorea abgezogen sind, "kommen
wir nicht weiter", sagte der nordkoreanische Botschafter in
österreich, Pak Si Ung, am Donnerstag gegenüber der Austria Presse
Agentur in Wien. ****

    Pak verwies in dem Gespräch darauf, daß Südkorea schon im Dezember
des Vorjahrs gemäß der gemeinsamen Deklaration über die Schaffung
einer atomwaffenfreien Zone auf der koreanischen Halbinsel den Abzug
aller A-Waffen von seinem Territorium verkündet habe. Demgegenüber
habe das amerikanische Verteidigungsministerium erst am 2. Juli
offiziell den Abzug bestätigt. "Nun wollen wir das überprüfen",
erklärte der Botschafter.

    Beim 7. Treffen des gemeinsamen nord-südkoreanischen
Atomkontrollkomitees am 21. Juli habe Nordkorea nach dem Grund für
den Widerspruch in den Aussagen Seouls und Washington gefragt. Die
südkoreanische Delegation habe daraufhin zur Antwort gegeben, sie
könne nicht hinter die Kulissen der US-Politik schauen. Pak zufolge
waren die Vorschläge Seouls für die bilateralen Inspektionen außerdem
"sehr ungenügend". Ein weiteres Treffen sei für Ende August geplant.

    Die USA fordern eine Einigung zwischen Nord- und Südkorea in der
Inspektionsfrage, bevor sie über Kontrollen ihrer Stützpunkten in
Südkorea reden wollen. Nordkorea will hingegen, daß die USA in die
Verhandlungen zwischen Pjöngjang und Seoul eingebunden werden, da
Südkorea keine Vollmacht habe, Inspektionen in US-Militärstützpunkten
zu erlauben. Ein Gesprächsangebot wurde laut Pak der Regierung in
Washington gemacht, aber dort nicht ernsthaft aufgegriffen.

    Nordkorea habe keine Atomwaffen und auch keine Kapazitäten für den
Bau solcher Waffen, versicherte Pak Si Ung. "Und wir glauben auch,
daß Südkorea keine hat." Haupthindernis für ein atomwaffenfreies
Korea seien also die Atomwaffen der USA in Südkorea. Deshalb sollten
die Vereinigten Staaten in die Verhandlungen involviert werden.

    In der Frage der bilateralen Inspektionen von Militärstützpunkten
gibt es nach Angaben des nordkoreanischen Botschafters noch sehr
viele Schwierigkeiten. Die Frage etwa, wie solche Inspektionen
aussehen könnten, sei noch gänzlich ungelöst. Nordkorea habe hiezu
"im Gegensatz zu Südkorea" bereits einige Vorschläge gemacht. Aber
das sei eine "interne Angelegenheit".

    Pak betonte weiter, daß die Frage der bilateralen Inspektionen
völlig getrennt von den Inspektionen der Internationalen Atomenergie-
Organisation (IAEO) in Wien zu sehen sei. Die IAEO könne jede
Einrichtung in Nordkorea besichtigen, unabhängig davon, ob sie in der
Liste angeführt sei, die Pjöngjang der Agentur übergeben habe. Das
Kontrollregime der IAEO sollte nicht durch "bilaterale Inspektionen"
ersetzt werden. (Schluß) ws

APA405   1992-07-23/18:25   0123

231825 Jul 92

4. 核問題 관련 IAEA 北韓大使의 記者會見

ㅇ 7.23 駐오스트리아 北韓大使 박시웅은 오스트리아 國營通信
(APA)과의 記者會見을 통해 北韓側의 核問題 관련 立場을
아래와 같이 發表함.

- 北韓은 IAEA의 核查察에 最大限 協調하고 있는 바, IAEA의
核查察制度가 重要하며 雙務查察을 强調하는 것은 IAEA
查察制度의 信賴를 損傷시키는 것임.

- 韓半島 非核化宣言에 따른 南北韓 相互查察問題는 韓國民
內部問題임.

- 韓國內 美 核武器問題는 美國과의 協議를 必要로 하나
美國은 北韓과의 協議에 응하지 않고 있으며, 南北韓 相互
查察 協商에 進展이 없는 것은 美國의 責任임.

ㅇ 한편, 北韓側은 同 會見後 韓半島 非核化宣言 및 南北韓 相互
查察問題 관련, 韓國側과의 協商結果를 금년 9월말까지 기다려
본후 進展이 없으면 10월중 체코 프라하에서 大規模 國際會議를
開催할 예정이라고 言及함.　　　　　(駐오스트리아大使 報告)

0124

공   란

공   란

발 신 전 보

번 호 : WAV-1152   920728 1631 WH 종별 : 지급

수 신 : 주 오스트리아   대사 //총영사

발 신 : 장 관 (국기)

제 목 : 북한 핵문제 핵심 우방협의회

대 : AVW-1181

대호 7.29 핵심우방협의회시 협의요망 사항을 아래 통보하니 참고바람.

1. 제2차 임시사찰(7.6-20) 실시에도 불구하고 기본적 의문점(5MW 원자로에서
나온 사용후 핵 연료의 양, 플루토늄 생산량, 재처리용 pilot plant의 존재여부등)
들이 해소되지 못하고 있음

    가. 이와관련 IAEA는 8월중 제3차 임시사찰(또는 정기사찰)을 추가 실시할
        예정이며, IAEA는 사찰결과등을 기초로 9월이사회에서는 상기 의혹점
        들에 대한 1차적인 결론을 내려줄 수 있어야 할것임

2. 따라서 Core Group을 중심으로한 우방이사국들은 북한의 핵개발 관련
의문점들이 완전히 해소될때까지 지속적이고 철저한 IAEA 사찰과 남북한 상호사찰이
조속히 실현될 수 있도록 IAEA이사회에서 대북한 압력을 계속 가해야할 것임

    가. 이러한 압력을 위해 9월이사회전까지 상기 의혹점이 해소되지 않는
        다면 9월이사회에서도 6월이사회에서와 같이 가능한 많은 이사국들이
        대북한 발언을 하도록 교섭하고, 사무총장에게는 12월이사회에 북한의
        협정이행상황(상기 의혹점들 중심으로)에 대해 재보고토록 촉구함

앙 고 재	92 병 월 일	3 21 기 과	기안자 성 명 이영호		과 장	심의관	국 장		차 관	장 관	

통 제

외신과통제

0127

나. 또한 IAEA 사찰과는 별도로 '한반도 비핵화 공동선언' 이행을 위해
   남북한 상호사찰이 조속히 실현될 수 있도록 많은 이사국들이 발언
   토록 함   ＩＡＥＡ 이사회에서

   - 6월이사회 및 7.22 미하원청문회시 Blix 사무총장의 발언내용,
     미.러 정상회담 및 EC의 공동성명과 G-7 의장성명 내용등을 언급

3. 또한 IAEA (Blix 사무총장)가 수차에 걸쳐 북한의 방사화학실험실이 완공
되면 재처리 시설이라고 확인한 이상, 많은 이사국들이 아래와 같은 이유에서 북한의
재처리시설 보유의 부당성(또는 비합리성)을 지적, 이를 포기하도록 촉구함

   가. 한반도 비핵화 공동선언 3조에 의거 남북한은 재처리 시설 및 농축
      시설을 보유치 않기로 합의한바 있음

   나. 고속증식로 및 산화 우라늄(MOX)을 본격적으로 개발하고 있지 않는
      혼합   연료
      상황에서 대규모의 재처리 시설을 건설하고 있는 북한의 의도를 의심
      하지 않을 수 없음

4. 9월 이사회대책과 아울러 동이사회에 연이어 개최되는 제36차 IAEA총회
(9.21-25)에서 상기 북한문제에 대해 어떻게 대처할 것인지에 대해서도 우방국간 협의
필요

   가. 구체적으로 어떤 의제하에서 어떠한 방식으로 발언을 할것인지

   나. 9월이사회에서 토의된 결과 (이사회의장 요약)를 바탕으로 총회에서
      취할조치등   끝.

예고 | 192.12.31.에 일반고문에
      | 의거 일반문서로 재분류됨

                              (국제기구국장 김 재 섭)

0128

7.29. Core Group 협의시 논의사항

7.28.
국제기구 (초안)

가. 제2차 임시사찰(7.6-28) 실시에도 불구하고 기본적 의문점(5MW 원자로에서 나온
   사용후 핵 연료의 양, 플루토늄 생산량, 재처리용 pilot plant의 존재여부등)
   들이 해소되지 못하고 있음

   ㅇ 이와관련 IAEA는 8월중 제3차 임시사찰(또는 정기사찰)을 추가 실시할 예정
     이며, IAEA는 사찰결과등을 기초로 9월이사회에서는 상기 의혹점들에 대한
     1차적인 결론을 내려줄 수 있어야 할것임

나. 따라서 Core Group을 중심으로한 우방이사국들은 북한의 핵개발 관련 의문점들이
   완전히 해소될때까지 지속적이고 철저한 IAEA 사찰과 남북한 상호사찰이 조속히
   실현될 수 있도록 IAEA이사회에서 대북한 압력을 계속 가해야할 것임

   ㅇ 이러한 압력을 위해 9월이사회전까지 상기 의혹점이 해소되지 않는다면 9월이사
     회에서도 6월이사회에서와 같이 가능한 많은 이사국들이 대북한 발언을 하도록
     교섭하고, 사무총장에게는 12월이사회에 북한의 협정이행상황(상기 의혹점들
     중심으로)에 대해 재보고토록 촉구함

   ㅇ 또한 IAEA 사찰과는 별도로 '한반도 비핵화 공동선언' 이행을 위해 남북한
     상호사찰이 조속히 실현될 수 있도록 많은 이사국들이 발언토록 함
     - 6월이사회 및 7.22 미하원청문회시 Blix 사무총장의 발언내용, 미.러 정상
       회담 및 EC의 공동성명과 G-7 의장성명 내용등을 언급

다. 또한 IAEA (Blix 사무총장)가 수차에 걸쳐 북한의 방사화학실험실이 완공되면
   재처리 시설이라고 확인한 이상, 많은 이사국들이 아래와 같은 이유에서 북한의
   재처리시설 보유의 부당성(또는 비합리성)을 지적, 이를 포기하도록 촉구함

0129

ㅇ 한반도 비핵화 공동선언 3조에 의거 남북한은 재처리 시설 및 농축시설을
보유치 않기로 합의한바 있음

ㅇ 고속증식로 및 산화 우라늄(MOX)을 본격적으로 개발하고 있지 않는 상황에서
대규모의 재처리 시설을 건설하고 있는 북한의 의도를 의심하지 않을 수 없음

라. 9월 이사회대책과 아울러 동이사회에 연이어 개최되는 제36차 IAEA총회(9.21-25)
에서 상기 북한문제에 대해 어떻게 대처할 것인지에 대해서도 우방국간 협의 필요

ㅇ 구체적으로 어떤 의제하에서 어떠한 방식으로 발언을 할것인지

ㅇ 9월이사회에서 토의된 결과 (이사회의장 요약)를 바탕으로 총회에서 취할조치
등 끝.

0130

공   란

공 란

공 란

공   란

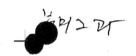

수령님께서 밝히신 민족대단결을 이룩하기 위한 방도는 온민족의 단합을 강화하며 조국통일의 주체를 강화하는데서 확고히 틀어쥐고 끝까지 관철해야할 투쟁지침으로 됩니다. 참으로 위대한 수령님께서 역사적인 8월 1일 노작에서 제시하신 민족대단결에 관한 노선은 통일애국역량의 압도적 우세로 통일을 앞당겨 실현 할 수 있게 하는 민족단합의 기치이며 통일을 바라는 사람이라면 누구나 받아들일 수 있는 공명정대하고 현실적인 애국애족의 노선입니다.

2. 오지리주재 복한 대사, 국제원자력기구 핵사찰 관련 기자회견 진행 (평방 92.08.01 0800)

오지리 주재 우리나라 박시웅 대사가 국제원자력기구의 핵사찰 문제와 관련해서 7.23 원에 있는 국제기자센터에서 기자회견을 진행했습니다. 회견에는 오지리 아파통신사 기자와 오지리 외교단 잡지 "디플러마 티세르 프레쎄딘스터" 편집국장이 참가했습니다. 회견에서는 우리나라 대사가 발언했습니다. 그는 먼저 우리가 핵무기전파방지조약에 따라 국제원자력기구와 체결한 담보협정의 효력을 발생시킨 이후 그에 따르는 자기의 의무를 성실히 이행하고 있다고 하면서 다음과 같이 말했습니다. 우리가 제출한 핵물질 초기 재고량 보고서와 핵설비 명세서에 기초하여 이미 국제원자력기구는 2차례의 비정기 핵사찰을 진행하였다. 우리측은 국제원자력기구 비정기 사찰단이 자기의 임무를 원만히 수행하도록 적극 협력하였다. 우리는 우리의 핵동력 계획의 평화적 성격에 대하여 이미 여러차례 공개하였으며, 공화국의 핵활동의 결백성과 공개성을 보여주기 위하여 국제원자력기구가 요구하는 경우 모든 대상들을 이미 제출한 설비명세에

II-4

구애됨이 없이 보여주겠다는 것을 약속하였다. 나는 우리 핵활동의 평화적 성격이 앞으로 국제원자력기구의 사찰을 통하여 확인될 것이라고 확신한다. 계속해서 그는 국제원자력기구의 사찰제도가 국제적으로 공인된 핵전파방지를 목적한 유일한 검열제도라고 하면서 다음과 같이 지적했습니다. 우리는 국제원자력기구의 사찰제도를 강화 하는데 유일한 길을 가지고 있으며, 이를 위하여 우리가 할 수 있는 모든 것을 다할 것이다 그런데 유감스럽게도 국제원자력기구의 사찰제도가 노는 역할에 대하여 그늘을 던지는 발언들이 서방의 일부 정객들 속에서 나오고 있다. 그들은 국제회의들에서 우리의 핵개발계획에 우려를 표시하고 조선에서 효과적인 상호 사찰제도가 실현되어야 한다고 떠들고 있다. 다시 말하면 그들은 국제원자력기구의 사찰제도는 효과적이 못되기 때문에 보다 효과적인 상호 사찰제도가 나와야 한다는 것이다. 그들의 이러한 주장은 국제원자력기구의 사찰제도에 의심을 품는 것으로써 핵사찰 제도를 강화하는데 새로운 작용을 놀뿐이라고 우리는 생각한다. 이러한 발언들은 국제원자력기구의 핵사찰을 성의있게 받아 들이고 있는 우리의 노력에 찬물을 끼얹는 행위이다. 대사는 국제원자력기구의 사찰은 국제조약에 따라 모든 성원국들에 적용되는 검증제도라고 하면서 다음과 같이 말했습니다. 그 어떤 상호 사찰에 대하여 이 검증제도가 훼손당하거나 교체될 수 없다는 것은 명백하다. 우리는 담보협정에 따라 진 의무를 앞으로도 철저히 이행할 것이라는 것과 이를 위하여 국제원자력기구와 적극 협력할 것이라는 것을 다시금 강조한다. 회견에서 대사는 기자들의 질문에 대답했습니다.

II-5

0136

< 노동신문 논평 > 남조선의 어용언론이 우리의 그무슨 핵문제와 관련하여 사실을 왜곡날조해 보도하는 비열한 행위를 일삼고 있다는 것이 날을 갈수록 드러나고 있다. 알려진 바와같이 지난 5월말과 6월초에 걸쳐 오지리의 수도 윈에서 진행된 국제원자력기구 6월 관리이사회에서는 우리나라에 대한 비정기사찰 결과가 공식 통보되었다. 국제원자력기구는 제1 차 비정기사찰과 관련한 보고에서 우리와의 핵담보협정이 효력을 발생한데 대하여 지적하고 우리의 협조적 자세를 높이 평가하면서 공화국의 핵시설이 오직 평화적 목적만을 위한 것이며 핵무기 개발과는 아무런 인연도 없다는 것을 명백히 밝히었다. 국제원자력기구 "한스 블릭스" 총국장이 기자회견에서 우리가 핵무기를 만들고 있다는 증거는 아무것도 없다고 하였으며 이 기구 대변인이 우리의 핵시설에 대해 핵무기 제조에 이르기 까지는 아직 먼단계에 있다고 하면서 우리는 미 중앙정보국의 견해(수개월에서 2년 사이에 핵무기를 개발한다고 한) 를 지지할 수 없다고 언명한 것을 비롯하여 국제원자력기구는 여러 계기를 통해 우리의 핵정책의 결백성과 원칙적 입장에 대해 지적하였다. 국제원자력기구 6월 관리이사회 회의에 참가한 많은 나라들도 우리가 핵무기 전파방지조약에 따르는 의무를 성실히 이행하고 있는데 대하여 환영하였다. 그런데 유득 미국과 남조선 당국만이 국제원자력기구의 비정기사찰 결과가 발표되자 불난강변에 멘소 날뛰듯 우리에 대한 이른바 핵위협소동에 열을 올리면서 이 엄연한 사실을 뒤집어 엎기 위한 온갖 왜곡, 과장, 날조행위를 감행해 나섰다. 특히 남조선 당국은 저들의 원자력협력 대사라는 자를 시켜 관리이사회 회의장에서 다짜고짜로 우리의 핵시설이 전적으로 핵무기 생산을 위한 것이라고 생때를 쓰는 추태를 부리었는가 하

II-8

0137

면 조선일보, 서울신문, 한국일보를 비롯한 일부 어용언론들을 동원하여 국제원자력기구의 사찰결과에 대해 그 내용을 사실과는 정 반대로 왜곡 과장하여 보도하는 행위를 감행하였다. 남조선의 일부 언론매체들은 우리의 핵시설이 평화적 목적을 위한 것이며 핵무기 개발과 인연이 없다는 국제원자력기구의 사찰 결과에 대하여 의혹이 증명됐다고 왜곡하여 떠들어 댔으며 방사화학실험실의 규모와 관련한 통보에 대하여서도 왜곡 과장하여 마치 북의 재처리공장 건설이 공식 확인되고 그것이 핵무기 생산을 위한 재처리 시설인듯이 보도하는 방정치 못한 행위를 일삼았다. 또한 이 기구 대표단의 우리나라 방문시에 활용한 비디오 필림의 출처마져도 왜곡 보도하였다. 그들은 국제원자력기구의 사찰 결과를 뒤집어 엎기 위해 실험과정에 미량의 플루토늄을 추출했다는 우리의 보고내용을 근거도 없이 거짓말이라고 우겨댔으며 지어 우리가 플루토늄을 은닉했다는 허위날조 선전까지 자행하였다. 그뿐이 아니다. 일부 어용언론은 왜곡된 보도들을 고의적으로 골라 옮겨 실으면서 그것을 마치도 저들이 현지에서 취재한 것처럼 위장하는 정직치 못한 행위도 하였다. 일부 신문들이 국제원자력기구가 우리의 핵시설에 대해 그무슨 특별사찰할 방침이라느니 뭐니하고 기구에서 논의된 적도 없는 허위사실을 똑같은 내용으로 보도하면서 저들의 현지특파기자가 보낸 기사라고 꼬리를 단것은 그 대표적 실예이다. 어용언론을 동원해서 벌이는 남조선 당국자들의 추악한 핵위협 소동의 목적은 명백하다. 그것은 국제원자력기구의 사찰결과로 우리의 핵정책의 결백성과 정당성이 증명되고 저들의 핵소동의 기만성이 드러나게 되자 어떻게 하나 그것을 역전시켜 보려는 모략책동 외에 다른 아무것도 아니다. 우리에 대한 모략적인 핵위협 소동은 역사적인 북

II-9

0138

남합의서와 비핵화 공동선언의 이행을 달가와하지 않는 미국이 고안하고 남조선 당국자들이 그대로 받아 외운 것이다. 북남합의서와 비핵화 공동선언이 채택되자 미국이 남조선 당국에 대고 그것이 성급한 처사라느니 유보하라느니 하고 호통을 쳤다는 것은 알려진 사실이다. 남조선 당국자들이 북남 합의서와 비핵화공동선언에 도장을 찍고 돌아앉자 마자 문제로도 되지 않는 우리의 핵문제를 걸고 북남 합의서와 비핵화 공동선언의 이행을 고의적으로 지연, 회피해 온 것은 바로 그때문이다. 남조선 당국자들이 일부 어용언론을 동원하여 파렴치한 왜곡 날조선전을 일삼고 있는것은 어떻게 하나 여론을 오도하여 국제원자력기구의 사찰결과를 희석시키고 저들의 핵위협소동의 기만성을 가리워 보려는데 그 더러운 목적이 있다. 그러나 진실은 가리울수 없다. 국제원자력기구도 남조선 당국자들의 왜곡 날조 보도가 완전히 그릇되고 이치에 맞지 않는 주장이라고 비난하고 항의하였다. 핵위협소동에 대한 비난의 목소리는 남조선 안에서도 높아가고 있다. 지어 남조선의 한 고위당국자까지도 비정기 사찰의 결과 북의 핵무기개발 의혹은 우려할만한 것이 아니라고 파악하고 있다고 하면서 남북 핵협상에 가장 큰 장애는 정부안의 강경론자들과 이들의 주장에 귀를 같이하는 일부 언론의 보도라고 까밝혔다. 그는 우리의 방사화학실험실을 재처리시설로 왜곡 보도하고 그것이 비핵화 공동선언의 위반이라고 떠들고 있는데 대해서도 자신은 이를 비핵화 공동선언을 위반한 것으로 보지 않는다고 하였다. 일부 언론들도 이러한 견해를 내놓고 있다. 동아일보는 국제원자력기구의 사찰결과와 관련하여 정부내에서 견해가 엇갈려 있다고 하면서 한 외무부 고위관리의 말을 인용하여 사찰결과를 통해 의혹이 해소될 것으로 해석하는 낙관론이 우세하

II-10

0139

다고 보도하였다. 중앙일보의 파리주재 특파기자가 일부 언론의 허황한 핵위협 보도에 대해 현실과 대세에 맞지않는 무리한 장문경쟁, 과장, 과잉, 중복보도라고 쓴 것은 우연한 일이 아니다. 제반사실은 남조선 당국자들의 광신적인 핵위협소동이 순전히 모략이며 그들이야 말로 불순한 목적을 위해서는 그어떤 파렴치한 행위도 서슴치 않는 사기협잡배들이라는 것을 그대로 보여준다. 그러나 남조선 당국자들이 아무리 핵소동에 미쳐 날뛰어도 사태는 절대로 그들이 바라는데로 되지 않을 것이다. 남조선의 일부 언론이 당국의 핵위협소동에 춤을 추고 있는데 대하여서도 스쳐 지날수 없다. 남조선의 언론보도 역사를 보면 정의와 애국의 견결하고 투철한 참다운 언론이 많았다. 지금도 정의와 애국의 신조를 꿋꿋이 지켜가는 언론들이 적지 않다. 언론의 사명은 객관적 진실을 반영하여 사회여론을 선도하는데 있다. 특히 민족적 화해와 단합, 통일이라는 민족사적 과제를 안고있는 이땅 언론의 기본사명은 사회여론을 옳게 선도하여 각계각층 대중을 통일성업에로 불러 일으키는데 있다. 그런데 남조선의 일부 언론들이 자기 본연의 사명을 떠나 진실을 왜곡날조하여 대결을 고취하고 통일위업에 장애를 조성하는 행위를 일삼으며 당국의 어용날팔수 노릇을 하고 있는 것은 용허묵과 될 수 없는 범죄행위이며 수치이다. 최근 남조선 당국자들이 북남대화 마당에서 핵문제를 걸고 북남 합의사항들의 이행을 지연, 회피하려는 저들의 불순한 언행에 대해 우리가 추궁하면 오보요, 제멋대로 보도한 것이요 뭐요 하고 언론을 우롱 모독하며 그 책임을 넘겨 씌우는 전횡을 부리는 것도 일부 언론이 이러한 수치스러운 행동을 하고 있는것과 떼어놓고 생각할 수 없다. 사회여론의 대변자인 남조선 언론은 명실공히 조국통일을 위해, 민족을 위해 참다운 언론활동을 하여야 한다. 언론이 자기의 본분을 저버리고 당 국의 어용나팔수로 전락되어 통일에 이롭지 못한 글을 써서 팔아먹으며 통일위업에 도리어 해를 끼친다면 그보다 더 큰 죄악은 없을 것이다. 그런 언론은 인민의 신뢰와 지지를 받을수 없으며 역사와 민족에 버림 을 받기 마련이다.

6. 북한, 혁명연극 "삼인일당" 공연

(평방 92. 08. 01-1000)

　　　위대한 수령 김일성 동지의 초기혁명활동시기 창작공연된 혁명 연극 "삼인일당" 이 우리당의 지도밑에 오늘 성황당식 혁명연극으로 각색 되어 대성황리에 공연되고 있습니다. 혁명연극 삼인일당은 우리나라 민족 주의 운동과 초기 공산주의 운동안에서 우심하게 나타나고 있던 파쟁과 분열을 반대하여 창작공연된 풍자극입니다. 위대한 수령 김일성 동지께서 는 세기와 더불어에서 민족주의자들의 독립운동 단체인 정의부, 신민부, 참의부 지도자들이 삼부통일을 한다고하면서 모여앉아 세력싸움으로 해를 넘기는 것을 보시고 서로 힘을 합칠데 대하여 호소하였지만 계속 말공 부들만 했다고 하시면서 다음과같이 회고하셨습니다. 우리는 생각다못해 그들에게 좀더 큰 자극을 줄 목적으로 민족주의자들의 권력싸움을 풍자 한 연극을 만들었다. 그것이 지금까지 전해지고있는 삼인일당이다. 혁명연 극 삼인일당은 환상적인 송도국의 궁정에서 가장높은 자리를 차지하고 있던 3 명의 정승이 권력싸움을 일삼다가 나라를 망하게 한것을 내용으 로 하고 있습니다. 피바다와 꽃파는 처녀, 성황당을 비롯한 불후의 고전 적 명작들을 영화와 가극, 연극 등에 옮기는 과정을 통해서 주체적 문

II-12　　　　　　　0141

관리
번호 92-685

외 무 부

원 본

종 별 :

번 호 : AVW-1236

수 신 : 장 관(국기,미이,정특,과기처)

발 신 : 주 오스트리아 대사

제 목 : 대북한 제3차 임시사찰

일 시 : 92 0811 1800

연:AVW-1179

1. 당관 김의기참사관이 8.10 IAEA 관계관으로 부터 탐문한바에 의하면 제 3차 대북한 임시사찰은 8 월말-9 월초에 실시하는 것으로 준비중에 있다함.

2. 제 3 차 임시사찰단 규모는 10 명 정도가 될것인바 사찰관 선정은 화학분야에 경험이 있는 사찰관 위주로 이루어질 것이며 사찰관 이외에 안전조치 장비 설치 전문가 1 인이 동행할 것이라함.

3. 또한 동 관계관에 의하면 IAEA 는 제 3 차 임시사찰 이후에도 대략 금년 10 월과 12 월경에 북한에 대한 사찰을 실시할 계획이라함. 끝.

(대사 이시영-국장)

예 고:92.12.31 일반.

일반문서로 재분류 (1992.12.7.)

국기국   1차보   미주국   외정실   분석관   안기부   과기처

PAGE 1

* 원본수령부서 승인없이 복사 금지

92.08.12   04:59

외신 2과   통제관 FM

0142

290   IAEA 대북한 핵시설 사찰 2

2. IAEA, 제3차 對北韓 核査察 實施 豫定

○ 8.10 우리側이 IAEA 關係官으로부터 探聞한 바에 의하면
   IAEA側은 제3차 對北韓 臨時核査察을 오는 8월말-9월초에
   實施하는 것으로 準備中에 있다고 함.

   - 査察團 規模는 약 10명 정도로서, 査察官은 化學分野 經驗
     人士 爲主로 選定될 것이며, 아울러 安全措置裝備 設置
     專門家도 包含될 것이라 함.

○ 한편, IAEA側은 제3차 核査察以後 今年 10월과 12월경에 다시금
   對北韓 核査察을 實施할 예정이라 함.(駐오스트리아大使 報告)

0143

외 무 부

종 별 :

번 호 : AVW-1252

일 시 : 92 0814 2100

수 신 : 장 관(국기 (미이), 정북)

발 신 : 주 오스트리아 대사

제 목 : 북한의 경수로 개발 기술원조 요청

별첨(FAX) 8.9 서울발 연합통신은 북한이 김달현 부총리 방한시 재처리 시설포기에 대한 대가로 경수로 관련 기술 이전을 요청하였으나 우리측이 현상황에서 이를 수락할수 없다는 이유로 거절하였다고 정부 고위인사를 인용 보도 하였는바, 이와관련 참고사항이 있으면 알려주시기바람.

별첨:AVW(F)-0193 1 매.끝.

(대사 이시영-국장)

예 고:92.12.31.까지

국기국   미주국   외정실

PAGE 1

92.08.16   06:43

외신 2과 통제관 FM

0144

EMBASSY OF THE REPUBLIC OF KOREA

Praterstrasse 31. Vienna
Austria 1020 (FAX : 2163436)

No : AVW(Fi) - 0193 | Date : 92.8.14 21:00

To : 장 관 (국기.(미이)정특)

(FAX No :   )

Subject :   친 벽

표지포함   2 매

Total Number of Page :

2 -1   0145

TEACHER REINSTATEMENT

DANKOOK HIGH SCHOOL REVERSES REINSTATEMENT OF FIRED TEACHERS
    SEOUL, AYON933
U IBT ^   09-08 00160
YON

LIGHT WATER REACTOR

PYONGYANG ASKS THE SOUTH TO TRANSFER AUTOMIC TECHNOLOGIES
    SEOUL, AUG. 9 (YONHAP) -- THE GOVERNMENT REFUSED THE NORTH'S
DEMAND THAT SOUTH KOREA TRANSFER TECHONLOGIES ON THE LIGHT WATER
REACTOR TO THE NORTH IN RETURN FOR PYONGYANG'S ABANDONING THE
CONSTRUCTION OF NUKE RECYCLING FACILITIES, A GOVERNMENT OFFICIAL
SAID SUNDAY.
    THE NORTH INFORMED OF THE TRADE WHEN NORTH KOREAN DEPUTY
PREMIER KIM DAL-HYUN VISITED SEOUL JULY 19-25 BUT THE GOVERNMENT
JUDGED THAT IT WAS TOO EARLY TO ACCEPT THE PROPOSAL UNDER THE
CIRCUMSTANCE THAT INTER-KOREAN NUKE INSPECTION WAS NOT
ACCOMPLISHED, THE OFFICIAL SAID.
    "THE NORTH STILL REFUSES INTER-KOREAN NUKE INSPECTION EVEN
THOUTH IT REQUIRES THE SOUTH'S TECHNONICAL SUPPORT ON AUTOMIC
POWER," HE SAID.
    THE GOVERNMENT WILL NOT CONSIDER THE TRANSFER OF ANY NUCLEAR
TECHNOLOGIES ON THE LIGHT WATER REACTOR UNTIL THE NORTH ACCEPTS THE
INTER-KOREAN NUKE INSPECTION AND SHOWS MORE SINCERITY ON THE
EXCHANGE OF DISPERSED FAMILIES, HE ADDED. (END) YONHAP 0754 GMT
080992

09/08/10-58MSZ

2 - 2   0146

관리
번호 92-692

외 무 부

종 별 :

번 호 : AVW-1256   일 시 : 92 0817 2200

수 신 : 장 관(국기,과기처,기정) 사본:국방부장관

발 신 : 주 오스트리아 대사

제 목 : 제3차 대북한 사찰일정

연:AVW-1236

1. 금 8.17(월) IAEA 사무국의 안전조치 부서 관계관에게 탐문한 바에 의하면 제 3
차 대북한 사찰 일정이 92.8.29-9.12 간으로 잠정 계획되어 있다함.

2. 동 사찰단은 THEIS 과장을 단장으로 총 9 명으로 구성될 예정이며, HEINONEN,
SAUKKONE, RUKHLO, ABOU-ZAHRA 등이 포함될것으로 알려짐.

3. IAEA 사무국은 사찰일정도 SAFEGUARDS CONFIDENTIAL 로 취급, 사전 대외공개치
않는 방침임을 첨언함. 끝.

(대사 이시영-국장)

예고:92.12.31 일반.

일반문 ᆯ로 재분류 (1992.12.3.)

국기국   장관   차관   1차보   미주국   분석관   정와대   안기부   국방부
과기처   0147

PAGE 1   92.08.18   18:15
                                                          외신 2과 통제관 CH

2. IAEA의 제3차 對北韓 核査察 暫定日程(2)

o 8.17 IAEA 事務局 安全措置關係官으로부터 探聞한 바에 의하면 IAEA의 제3차 對北韓 核査察 日程은 92.8.29-9.12간으로 暫定 計劃되어 있다고 함.

- 同 査察團은 '타이스' 安全措置課長을 團長으로하여 총 9명 으로 構成될 예정이라고 함.   (駐오스트리아大使 報告)

0148

외 무 부

종 별 :

번 호 : AVW-1284   일 시 : 92 0825 1600

수 신 : 장 관(국기,미이,구이,정특)

발 신 : 주 오스트리아 대사

제 목 : 영국대사 내방

8.24. 당지 CLARK 영국대사(다자관계담당)는 본직을 방문, 당면 현안 문제에 관하여 광범위하게 의견 교환했는바, 주요요지 아래 보고함.

1. 북한 핵 IAEA 관계

. 동대사는 북한 핵문제 관련 영국이 IAEA 차원에서 취하고있는 입장이 결코 북한 핵개발 저지를 추구하는 한국정부및 핵심우방의 입장보다 약한것이 아님을 강조하고, EC 의 북한 핵관계 성명도 EC 의장인 영국대사 명의로 이미 IAEA 회원국 모두에게 배포했기때문에 IAEA 문서로 배포할 필요성을 느끼지 않았으므로 우리측 요청대로 해주지 못했다는 점에 오해없기를 바란다고 설명하였음.

. 다만 영국으로서는 북한 핵개발 저지를 위한 국제압력 가중노력에있어 IAEA 차원에서는 남북한간의 쌍무적인 상호사찰문제보다는 IAEA 사찰의 중요성을 인정하고 동사찰의 철저한 이행을 촉진시키는 한편, 일단 핵안전협정에 서명하고 사찰을 받는데있어 나름대로의 성의를 보이고있는 북한을 계속 격려하는 어프로치가 현단계에서는 더 효과적이라는 입장을 갖고있음을 아울러 설명하여 옴

. 이러한 영국정부입장은 최근 마닐라 ASEAN PMC 시 한영 외상회담에서 우리측에 충분히 설명하였음. (런던에서도 한국대사관측에 설명함)

. 주한 영국대사의 보고에 따르면 한국의 북한과의 교역이 최근 현저히 증대(왕복 1 억불 초과)되고있으며 남한의 북한으로부터의 수입이 주종을 이루고있어 북한이 절실히 필요로하는 경화를 남한이 사실상 공급을 해주는 현상을 나타내고 있다는바, 핵문제관련 대북 압력 가중의 차원에서 볼때 다른 우방들과의 공동보조상 납득이 안되는 면이 있음.

. 상기에대하여 본직은 비록 어프로치에 있어 한.미.일.호등의 입장이 영국 입장보다 더 적극적인것은 사실이나 북한 핵개발 저지라는 기본 목표는 동일하며,

국기국   차관   1차보   미주국   구주국   외정실   분석관   정와대   안기부

PAGE 1   92.08.26   04:25
                                          외신 2과 통제관 FM

그간 영국이 보여준 지지와 협조에 일응 사의를 표하는 동시 9 월 이사회를 앞두고 충분한 핵심 우방간 사전협의를 거쳐 대북전략을 세워 나가기로 합의함.

. 본직은 지금까지 한국과 우방들이 취해온 전략, 즉 IAEA 및 남북한 차원에서 대북압력을 지속적으로 최대한 행사하는 어프로치가 주효하여 북한이 마침내 IAEA 사찰에 응하게 될것인만큼, 이 어프로치의 정당성과 효과가 현실적으로 입증된것임을 강조하고, 현재 남북사찰에 전혀 진전이 없는 현상황하에서는 국제적 대북 압력을 조금도 늦추어서는 안되며, 그러한 관점에서 9 월 이사회및 총회대책을 마련해야할 필요를 설명함.

PAGE 2

0150

외 무 부

종 별 :

번 호 : AVW-1285   일 시 : 92 0825 1600

수 신 : 장 관(국기,미이,구이,정특)

발 신 : 주 오스트리아 대사

제 목 : AVW-1284의 PART 2

.9 월 이사회에 앞서 핵심우방협의를 통해 긴밀히 협조하기로 했으며, 남북한 교역문제에 대하여는 남북 교역이 인도적 차원에서 극히 제한된 규모로 간헐적으로 진행되어 왔을뿐이며 핵문제 해결없이 대북 정치.경제협력을 진전시킬수 없다는 정부입장에 변함이 없음을 설명해 주었음.(이문제 관련 동대사는 남북교역 관련 통계가 있으면 제공해줄것을 요망해왔음.)

　　2.IAEA 및 UNIDO 사무총장 관계

. 동대사는 BLIX 사무총장의 4 선 재출마건 관련 EC 그룹및 WEOG(서구및 기타 그룹)내 비공식 협의가 진행중인바, 적절한 입후보자가 없는 현 상황에서 BLIX 총장 중임이 불가피할것이라는 견해가 지배적임을 설명했으며, 본직은 아직 77 그룹이나 아세아그룹내 협의는 없었으나 BLIX 총장의 4 선재출마라는 핸디캪에도 불구, 그가 재출마하는한 다른 총장 후보가 나설 전망이 보이지 않으며 따라서 BLIX 총장 재선 가능성이 높다는 사견을 피력함.

.SIAZON UNIDO 사무총장의 임기전 사퇴(AVW-1260 참조)에따른 수습책에 대하여는 충분한 시간을 두고 UNIDO 를 쇄신할 만한 능력이 있는 적격자를 찾기위해서 우선 5 명의 사무차장중 1 명을 총장서리(ACTING D.G.)로 선출하여 잔여 임기를 채우게하고, 동기간중 총장 선출을 위한 노력을하여 내년 총회시 선출토록 한다는 기본 씨나리오에 의견을 같이함.

. 앞으로 IAEA 이사회및 총회와 UNIDO 이사회를 앞두고 지역그룹간 충분한 대화와 협의가 필요하다는데 의견을 같이하고 이를 위해 상호 협력키로 했으며, 동 대사는 특히 한국이 77 그룹과 아세아그룹내에서 주도적 공헌을 해줄것을 요망하였음.

　　3. 상기 1 항 관련 당지 영국및 여타 핵심우방을 납득시키는데 필요하니 마닐라에서의 한영 외무장관 회담기록중 관련부분과 남북한 교역의 년도별 현황,

국기국	차관	1차보	미주국	구주국	외정실	분석관	청와대	안기부

PAGE 1

추세, 정부의 기본입장등 관련자료를 참고로 송부해 주기바람, 끝

(대사 이시영-국장)

예고:1992.12.31 일반

PAGE 2

관리 번호	92-716

외 무 부

종   별 : 지 급

번   호 : AVW-1296   일   시 : 92 0828 1900

수   신 : 장 관(국기,과기처,미이,정특,기정,사본:국방부장관)

발   신 : 주 오스트리아대사

제   목 : 제3차 사찰팀 방북

    연:AVW-1261,1256

    1. 표제 사찰팀은 예정대로 8.29(토) 당지 출발예정임.(평양도착 8.31, 출발
9.21)

    2. 사찰팀구성은 연호 9 명중 ABOU-ZAHRA 대신 GERALD TRIBUTSCH (오스트리아
인으로 안전조치 장비전문)가 포함됨. 끝

    (대사 이시영-국장)

    예고:1992.12.31

    | 일반문서로 재분류 (1992.12.31) |

2. IAEA 제3차 核查察팀 訪北

O IAEA의 제3차 對北韓 核查察팀은 8.31 平壤到着, 9.21까지
   查察任務 遂行 예정임.　　　　　　　　(駐오스트리아大使 報告)

정 리 보 존 문 서 목 록

기록물종류	일반공문서철	등록번호	2021060062	등록일자	2021-06-15
분류번호	726.63	국가코드		보존기간	영구
명 칭	IAEA(국제원자력기구)의 대북한 핵시설 사찰, 1992. 전6권				
생 산 과	국제기구과/북미2과	생산년도	1992~1992	담당그룹	
권 차 명	V.6 9-12월				
내용목차	* 11.2 북한 외교부 대변인 성명 발표(T/S훈련 관련 IAEA 핵사찰 거부) 　　11.3-14　제4차 임시사찰 　　12.14-19 제5차 임시사찰				

0001

외　무　부

종　별 :

번　호 : AVW-1326　　　　　　　　　　일　시 : 92 0903 1920

수　신 : 장 관 (국기,미이,정복,과기처,사본:주미대사-본부중계필)

발　신 : 주 오스트리아 대사

제　목 : IAEA 사무총장 면담

　　본직은 금 9.3. 휴가로부터 귀임한 블릭스 사무총장을 면담,9 월 이사회 및 총회를 비롯한 상호 관심사에 관하여 협의한 바, 주요사항 아래보고함

　1. 9 월 이사회 문제

　　가. 본직은 그동안 세차례에 걸친 북한에 대한 임시사찰 결과에 따른 사무총장의 금번 이사회에 대한 보고에 기대를 갖고있음을 표명하고, 동 보고에도 불구, 북한 핵개발에 관한 의혹점이 해명되지 않을경우 한국 및 미, 일등 우방과 상당수의 이사국들이 6 월 이사회시와 만찬가지로 대북 발언을 함으로써 북한에 대한 국제적 압력을 계속해야 할것이며 또한 동 문제가 IAEA 의 중요관심사 의제로 계속 남아야 할것임을 강조함

　　나. 블릭스 총장은 3 차 사찰결과는 9 월 이사회전에 정리하여 보고되기 어려울 것이며 2 차 사찰시 5MW 원자로의 핵연료 일부를 북한측의 기계사정으로 확보하지 못했으므로 금번 사찰시 다시 시도하게 될것이나 확보하더라도 동 분석검사에 수개월 소요되므로 결국 금번 이사회보고에 특별한 내용이 담기기 어려울것임을 시사하면서, IAEA 로서도 북한 핵신고와 이에따른 사찰의 COMPLETENESS 및 사용 핵연료를 이용한 별도의 재처리 플루토늄 추출.축적 여부에 관하여 가부간 결론을 못내리고있는 상황이므로 북한 핵개발 의혹이 사라졌다고는 보지 않으며 따라서 계속 주요 현안으로 남기는데 이의가 있을수 없다고 하였음

　　다. 동 총장은 내년으로 예정된 5 MW 원자로 연료의 전면 대체시 동 사용연료를 확보, 검사할 경우, 그동안 연료의 부분적 교체여부등 중요한 정보를 얻을수 있을것으로 기대되나, 그경우에도 최소한 6 개월의 검사기간이 소요될 것이라고 하였음.(동 원자로의 사용연료 전부를 완벽하게 재처리하면 이론적으로는 수 KG의 플루토늄 생산이 가능할 것이나 동 원자로와 핵연료는 이미 신고되어 사찰대상이 되어

| 국기국 | 장관 | 차관 | 1차보 | 미주국 | 외정실 | 분석관 | 정와대 | 안기부 |
| 과기처 | 중계 | | | | | | | |

PAGE 1

사실상 동결되어 있는 상태이므로 현실적으로 어떠한 처리도 불가능함을 첨언)

    2. SAGSI 확장시 한국인 전문가 선발 포함문제(AVW-1299 참조)

    본직은 핵안전조치분야에서의 한국의 높은 활동수준과 우리측이 천거한 후보자들의 충분한 자격요건등을 고려, 한국인을 필히 포함시키려는 것이 정부 입장임을 강조하고 동 총장의 긍정적 고려를 강력히 요청한 바, 동 총장은 본직의 TILEMANN 사무총장 보좌관과의 본건 협의(8.31 자)내용을 보고 받고 본직이 좋은 후보자를 천거해 준데 대하여 감사하게 생각한다고 말하고, <u>누가되던 한국전문가가 꼭 포함되도록 노력할것이나 동 총장 개인생각으로는 금번 SAGSI 확장의 근본 취지에 비추어 이병휘, 이창근 두 후보자가 가장 자격요건이 맞는것으로 본다</u>하고, 9 월이사회전 결정이 되는대로 알려주겠다고 하였음

    3. 전풍일 박사 사무국 진출문제

    본직은 명년초 퇴임하는 RIDWAN 기술협력계획과장 후임으로 우리정부가 천거한 전 박사가 최적임자로서 엄선된 후보임을 강조하고 동인을 후임자로 임명해줄것을 강력히 요청한 바, 동 총장은 한국측 희망을 충분히 감안함

    (AVW-1327에서 계속)

외 무 부

종 별 :

번 호 : AVW-1327
일 시 : 92 0903 1920

수 신 : 장 관 (국기,미이,정특,과기처,사본:주미대사-본부중계필)

발 신 : 주 오스트리아 대사

제 목 : AVW-1326의 (PART 2)

3. 전풍일 박사 사무국진출 문제

본직은 명년초 퇴임하는 RIDWAN 기술협력계획과장 후임을 우리정부가 천거한 전 박사가 최적임자로서 엄선된 후보임을 강조하고 동인을 후임자로 임명해줄것을 강력히 요청한 바, 동 총장은 한국측 희망을 충분히 감안하여 결정할 것이라고 말함

4. 기타

가.   가. 본직은 한국정부의 IAEA 정규예산 분담액 및 자발적 기여금 요청액이 작년도의

약 3 배로 늘어났음을 설명하고 자발적기여금 및 예산의 기여를 위해 한국 대표부로서는 정근모 대사의 협조를 얻어 최선을 다할것임을 언급한 바, 동 총장은 이에 사의를 표명하고 IAEA 의 어려운 재정상황에 비추어 한국의 기여를 기대한다고 하였음

나. 본직은 또한 한국과같이 원자력 평화이용 분야에서 상당 수준에 달한 국가가 IAEA 구조안에서 정당한 지위를 차지할수 있도록 개편될 필요성을 역설하였으며, 이를 위하여 한국이 IAEA 내에서의 활동을 질적 양적으로 더욱 강화시켜 나갈것이라고 말하고 앞으로 동총장의 협조를 요망함

5. 금일 면담중 오는 IAEA 총회에서 제기될 전 유고 대표권문제가 잠시 언급되었는 바, 신임장문제와 관련 반드시 제기될것으로 보이는 동 문제에 대하여 대표단이 취할 입장도 검토, 훈령에 포함시켜 주기바람. 끝

(대사 이시영-국장)

예고 : 재분류:1992.12.31

국기국 과기처	장관 중계	차관	1차보	미주국	외정실	분석관	정와대	안기부

92.09.04   03:44
외신 2과 통제관 FS

0004

공   란

공   란

공   란

공   란

공 란

공   란

공   란

공   란

공 란

공   란

공   란

공　　　　　란

공   란

공   란

공 란

공   란

공   란

공　　　　란

공　　　　란

공   란

공 란

공 란

공   란

공   란

공   란

공   란

공 란

공　　　란

공   란

공   란

공 란

공　　　　란

공   란

공   란

공 란

공   란

공   란

공   란

공 란

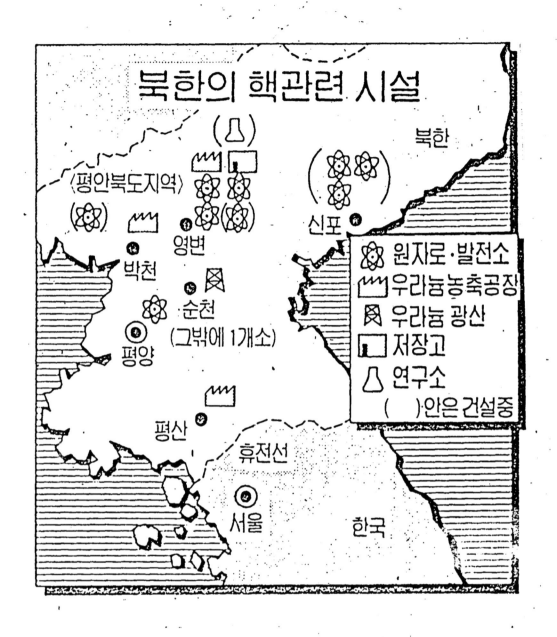

북한의 핵관련 시설

북한

〈평안북도지역〉

신포

영변

박천

순천

(그밖에 1개소)

평양

평산

휴전선

서울

한국

아이콘	설명
원자로·발전소
우라늄농축공장
우라늄 광산
저장고
연구소
( )안은 건설중

0044

北韓, IAEA 사찰에 제약

(빈=聯合) 홍성표 특파원 = 북한은 현재 진행중인 국제원자력기구(IAEA)의 핵사찰과 관련, 사찰관 임명을 제한함으로써 보다 효율적인 사찰활동에 제약을 가하고 있는 것으로 지적됐다.

한스 블릭스 IAEA사무총장은 15일 IAEA 이사회를 앞두고 회원국 대표들에게 이번 회의의 주요의제에 관해 비공식 브리핑하면서 이렇게 지적했다.

블릭스 사무총장은 북한 등 일부국이 국교가 있는 나라 출신의 사찰관만을 받아들이고 있어 IAEA 사찰활동에 다소 제약이 가해지고 있다고 설명했는데 북한의 경우 제3세계를 제외한 다수의 서방선진국과 외교관계가 없어 전문분야별로 사찰관을 충원하는데 IAEA가 불편을 겪는 것으로 전해졌다.

블릭스 사무총장은 이와 관련, 지난해 핵안전협정을 체결한 남아프리카공화국의 경우 적극적인 협조로 그동안 연 4백명의 사찰관이 77회에 걸쳐 미신고시설과 군사시설까지 망라하는 광범위한 사찰을 실시했다고 밝히고 다른 나라도 南阿共과 같은 자세를 보여달라고 요청했다.

IAEA는 최근 8개월간의 사찰활동 끝에 보유한 핵시설및 물질에 대한 南阿共의 초기 신고가 성실하게 이뤄졌다는 판정을 내렸다.

블릭스 총장은 북한에 대해서는 지난주까지 3회의 임시사찰이 시행됐으나 아직 판단을 내리기에는 시기가 이르다고 말했다.

한편 이날 브리핑에 참석한 李時榮 빈주재 한국대사는 회원국들에게 북한의 핵개발의혹이 한가지도 해명되지 않고 있으며 이의 규명에 나선 IAEA의 사찰에도 뚜렷한 진전이 없음을 지적했다.

이에 앞서 14일 한국 및 일부 이사국 대표들은 별도의 모임을 갖고 16일 개막되는 이사회에서도 북한에 의혹해명과 상호사찰 이행을 촉구하기로 의견을 모았다.(끝)

2

0045

IAEA 정기이사회 16일 개막

　　(빈=聯合) 洪成杓특파원= 국제원자력기구(IAEA) 9월 이사회가 북한 핵시설에 대한 사찰보고 등을 주요 의제로 채택한 가운데 16일 오전(한국시간　16일오후)오스트리아의 수도 빈 소재 IAEA본부에서 개막된다.

　　오는 18일까지 계속되는 이번 이사회에는 그동안 3차에 걸쳐 시행된 對北韓 임시사찰과 본격 사찰을 위한 부속약정체결의 경과가 보고될 예정이다.

　　이와 관련, 한국 등 주요 이사국은 이번 이사회에서도 북한의 핵개발에 대한 제반 의혹이 여전히 해소되지 않고 있음을 지적, 南.北韓상호사찰의 조기 실현과 재처리시설의 건설중단을 촉구할 방침이다.

　　IAEA는 현재 북한과 시설별로 사찰의 방법.횟수 등을 규정하는 시설 附錄에 관해 협의를 계속하고 있는데 앞으로 당분간 6~7주 간격으로 북한의 핵시설 신고내용을 검증하기 위한 임시사찰이 2~3회 더 계속될 것으로 관계자들은 전망하고 있다.

　　이번 이사회에서는 북한 핵사찰 외에도 이라크의 핵안전협정 위반문제, 기구의 재정문제 등이 주요 의제로 논의될 예정인데 IAEA사찰국관계자는 IAEA 핵사찰 활동의 경비를 절감하고 효율성을 제고하기 위해 재처리및 플루토늄 생산시설에 사찰을 집중하는 방안이 연구되고 있다고 밝혔다.

　　한편 이사회에 이어 오는 21일 개막되는 IAEA 금년도 정기총회에서 한국은 북한에 대해 원자력연구.핵안전협력 등의 부문과 관련된 중요 제의를 내놓을 것으로 알려졌다.(끝)

(YONHAP)　920914　1525　KST

30

0046

외 무 부

종 별 : 긴 급

번 호 : AVW-1417   일 시 : 92 0917 1720

수 신 : 장 관(국기,미이,정특,기정,과기처)

발 신 : 주 오스트리아 대사

제 목 : 북한 오창림 대사 기자회견

연:AVW-1413

　1.IAEA 9 월 이사회 북한 옵서버 오창림 순회대사는 금 9.17 10:05 부터 약1
시간동안 북한 핵문제관련 기자회견을 가졌는바, 동 기자회견에는 KBS, MBC,동아,
연합통신 특파원을 포함 20 여명의 내외신 기자가 참석하였음. 동 기자회견 주요내용
하기 보고함.

　2. 오창림대사는 기자들의 질의에 앞서 북한은 남북한 상호사찰 문제가
IAEA이사회에서 거론될 문제가 아니며 남북한 양자간에 해결될 사항임으로 이에대한
입장을 이사회에서 밝히는것이 적절하지 못하기 때문에 기자회견을 통한 해명이
필요하다고 하면서 별전 FAX 와같이 낭독하였음.

　3. 질의 응답 내용

　1)남한이 미군기지 사찰을 수용한다면 상호사찰에 합의할것인지 ?

　-북한은 원래 북한 핵시설과 남한의 미군 핵기지에 대해 동시사찰을
하자고제의하였으며, 북한이 이미 IAEA 사찰을 받아들였으니 이제 남한의 미군
핵기지에 대한 사찰이 시행되어야 한다는 입장임.

　2)그렇다면 IAEA 사찰과 상호사찰이 연계되어 있다는것인지 ?

　-남한이 미군기지 사찰문제를 수용한다면, 남북한은 협상을 통해 적절하고
합리적인 방법을 찾을 수 있을것임.

　3)남한이 미군기지 사찰을 수용한다면 북한의 군사기지 사찰을 받아 들일것인지 ?

　-일반 군사시설은 핵무기가 없기때문에 핵사찰 대상이 될수없음.

　4)미군기지에 대한 사찰을 허용한다면, 북한측은 그대가로(IN RETURN)무엇을
보여줄것인지 ?

　-원래 북한측은 동시사찰을 제의하였으며, 북한에대학 IAEA 의 핵사찰이

국기국　　장관　　차관　　1차보　　미주국　　외정실　　분석관　　청와대　　안기부
과기처

PAGE 1   92.09.18 04:05

외신 2과 통제관 FK

시작되었으므로, 이제 남한의 미군기지 사찰을 받아들여야 함.

5)그렇다면 국제사찰 IAEA 사찰과 양자간의 상호사찰을 연계시키는 것인지 ?

-(상기 2 항) 답변을 되풀이 하면서)이미 북한측의 세차례나 IAEA 사찰을 받았음으로 이제는 남한이 미군기지 사찰 여부에 대해 해명하여야 함.(이 질문에오창림 대사는 답변을 하지 못하고, 배석한 외교부 직원 정송일이 답변하였으며 질문한 AP 기자는 자기 질문에 대한 답변이 되지 않는다고 하였음)

6)남한이 미군기지에 대한 사찰을 받아들인다면 북한 군사기지에대한 사찰을 수용하겠는지 ?

-한반도 핵문제는 남한내 미군 핵기지 때문에 생긴것이며, 북한 군사기지는핵과 관계없음.

7)그렇다면 왜 군사기지를 사찰에 개방하지 못하는지 ?

-북한은 비핵무기 국가이므로 북한 군사기지는 핵사찰의 대상이 될수없음.

8)북한이 IAEA 사찰을 받아들인다면, 미군기지에대한 사찰을 받아들인다는 남북한간 합의가 있었는지 ?

-(상기 2)항 답변 내용을 되풀이 함.)

9)주한 미군기지는 미국의 주권하에 있는데 왜 미군기지 사찰문제를 미국과직접 협상하지 않는가 ?

-미국과 직접협상을 희망하나 현재 미국과 북한간에는 미군기지 사찰을 위한 합의가 없음. 그러나 미국이 요구하면 미국과 합의(COME TO TERMS WITH US)할용의가 있음.

10)북한이 말하는 동시사찰은 북한핵시설에 대한 IAEA 사찰과 남한내 미군기지에 북한의 사찰을 의미하는지 ?

-(답변하지 못함.)

11)방사화학연구실 건설을 계속하고있는지 또는 중단하였는지 ?

-건설중임

12)남한측이 계속 미군기지 사찰을 받아들이지 않는다면, 북한측은 IAEA 사찰을 앞으로 받아들이지 않을것인지 ?

-북한이(IAEA 안전조치)의무 이행을 충실히 이행하고있으므로 남한도 우리의 (미군기지)사찰요구를 받아들여야함.

13)북한에대하여는 민간시설 사찰만을 허용하고, 남한에대하여는 군사기지를

사찰하겠다는것은 상호적이아니며, 일방적인 것이 아닌가 ?

-핵사찰은 핵무기 존재여부를 확인하기위한것이며, 북한에는 핵무기가 없으므로 군사기지가 사찰대상이 될수없음

14)북한의 핵개발계획이 평화목적인지 아직 증명되지 않았음. 방사화학 실험실은 플루토늄 생산용이 아닌지 ?

-남아공에대하여는 최초보고서 검증을위해 77 회나 사찰이 실시되었으며, 아직북한에대한 사찰이 세차례 밖에 실시되지 않아 초기단계에 있음. 북한 핵개발계획의 평화적 목적여부는 앞으로 IAEA 사찰을 통해 알려질것임.

15)제 3 차 임시사찰단이 미신고 시설 두군데를 방문하였는데 이것이 무엇인가 ?

-IAEA 에 물어보라

. 방사화학시설이 계속 건설중이라는데 언제쯤 완공될것인지 ?

-알수 없음. 끝

첨부:AVWF-0224

(대사 이시영-국장)

EMBASSY OF THE REPUBLIC OF KOREA

Praterstrasse 31, Vienna
Austria 1020 (FAX : 2163438)

No : AVW(Fr) - 0226 | Date : 2091기 1220

To : 장 관 (종가.미이.정흥.기정.라기리)

(FAX No :   )

Subject :   첨부

표지포함   7   매

오창린 기자회견 발표문

It is the unanimous desire of peoples the
world over and the basic idea of the Treaty on
Non-Proliferation of Nuclear Weapons to eliminate
danger of nuclear war and live in the world free
of nuclear weapons.

 We have, therefrom, raised the elimination
of nuclear threats in the Korean peninsula as a
vital question related to the fate of our nation
and an essential requirement for the safeguards
of peace, and exerted consistent efforts to withdraw
nuclear weapons of the United States from south
Korea and turn the Korean peninsula into a nuclear
free zone.

 Thanks to our principled position and efforts the
south Korean authority last year announced
"a declaration of absence of nuclear weapons",
thereafter agreeing with our proposal to adopt
the "Joint Declaration on the denuclearization of
the Korean peninsula". And the United States also
expressed welcome to the declaration of absence
of nuclear weapons" by the south Korean authority
and stated through a spokesman for the US
Defence Department on July 2, last that it
emphasizes particularly that there is no US
nuclear weapons" in south Korea.

 We expressed welcome to such statements.

 However, the north and the south have failed
to reach an agreement owing to their different
views on the basic questions, although they had

0051

0224-1

8 rounds of meeting of the Joint Nuclear Control
Committee and 3 times of its members' contacts for
the purpose of implementing the "Joint Declaration
on Denuclearization of the Korean peninsula"
effectuated from January 19 this year and the
"Agreement on the Formation and Operation of the
North-South Joint Nuclear Control Committee"
concluded on March 18 this year.

What is the basic obstacle to the implementation
of the "Joint Declaration on Denuclearization of
the Korean peninsula"?

The most principal obstacle is a question
concerning nuclear inspection.

We have so far undergone the ad hoc
inspection three times in accordance with the
Safeguards Agreement concluded with the International
Atomic Energy Agency.

During that period we actively co-operated
with the inspectors in this   activities
and the agency inspectors as well as the officials
of the agency secretariate expressed their thanks
to our cooperation.

Through the inspections by the IAEA our
nuclear activities are being verified to be
peaceful.

Since we have accepted the inspections by the
IAEA it is quite natural that the south Korean
side should also respond to our inspection to verify
if there is no longer the US nuclear weapons or
bases existing in south Korea.

- 2 -

6 224 - 2

0052

But the south Korean side has continuously objected to the inspection of nuclear weapons and bases of the United States since the first round of the North-South Joint Nuclear Control Committee and did not include the provision for comprehensive inspection of the nuclear weapons and bases even in the draft inspection regulation.

The south Korean side has rather brought about arguments such as "pilot inspection" and "inspection of objects of same number" insisting that inspection should also be applied to our general military bases which have nothing to do with implementation of the Joint Declaration on the Denuclearization.

Inspection on general military bases is not an activity under the competence of the Joint Committee of Nuclear Control, but an activity to be considered at the meeting of the Military Joint Committee, if necessary when arms reduction is materialized in the north and the south.

The nuclear question in the Korean peninsula was raised since the United States deployed its nuclear weapons in south Korea.

Therefore, with regard to inspection for implementation of the Joint Declaration on Denuclearization of the Korean peninsula, our inspection to verify the nonexistence of nuclear weapons and bases of the United States in south Korea should be carried out first.

- 3 -

02214-3

0053

Nevertheless, the United States and south Korean side nowadays argued that they could agree with the inspection of nuclear weapons and bases of the United States only when we accept the inspection of general military bases insisting that this corresponds with "mutualism" and constitutes a main con-tent of the "North-South mutual nuclear inspection."

Such argument by the south Korean side is the main obstacle applying the break to the implementation of the Declaration on Denuclearization of the Korean peninsula.

We hold that in order to show their sincerity in their announcement of absence of nuclear weapons the United States and the south Korean side should accept our verification inspection on existence or nonexistence of nuclear weapons and bases.

We are convinced that if this question were solved the north and the south of Korea could soon reach an agreement on method and procedures of inspection suiting to the fact that both are undergoing inspections by IAEA.

Next, the "special inspection" insisted by the south Korean side is another obstacle. Article 4 of the Joint Declaration on Denuclearization stipulates that "objects chosen by the other side and agreed by the both sides are subject to inspection."

- 4 -

0~24-4

0054

However, the south Korean side against this
agreement insists on the "special inspection"
to be unconditionally accepted by the other side
if one side proposes to inspect, which is
contrary to the agreement.

We hope that meetings of the North-South
Joint Nuclear Control Committee proceed in
accordance with the already agreed contents.

Finally, the another important obstacle is a
question of adopting an agreement for the
implementation of the Joint Declaration.

To adopt an agreement for the implementation
of the Joint Declaration on Denuclearization is
a requirement under the provisions agreed upon by
the north and the south that subsidiary document
should be adopted, and is also an indispensable one
in undertaking to satisfaction the control function
of the Joint nuclear control committee.

In this context, we advanced the draft
agreement and inspection regulation for the
implementation of Joint Declaration on Denucleariza-
tion on March 19 this year at the first session
of the North-South Joint Nuclear Control Committee.

But the south Korean side for the first time
at the Seventh session of the North-South Joint
Nuclear Control Committee on July 21 last
submitted a draft agreement, which does not reflect
such principled questions to be raised in

- 5 -

0224-5

0055

implementation of Joint Declaration on Denucleari-
zation as removal of nuclear threats, discontinuation
of nuclear military exercises, guarantee of
denuclearization status, etc.

Even the south Korean side said that it had
submitted an unnecessary draft agreement since we
demanded it, and at the seventh session of Joint
Nuclear Control Committee it stated that it would
continue to follow the US policy because south
Korea is an area under the so-called NCND policy of
the United States that is to neither confirm nor
deny the existence of nuclear weapons.

This bespeaks that the south Korean side has
no practical will to denuclearize the Korean
peninsula.

Such act by the south Korean side to object
to adopting agreement has hindered the progress of
the meeting of the North-South Joint nuclear control
Committee.

We will exert every sincere effort to implement
as soon as possible the Joint Declaration on
Denuclearization of the Korean peninsula.

0224-6

0056

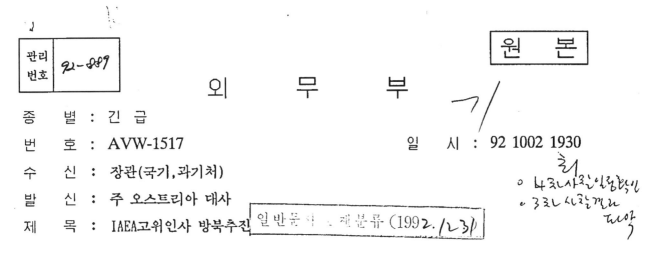

관리
번호 92-889

외　무　부

종　별 : 긴 급

번　호 : AVW-1517　　　　　　　　　　　일　시 : 92 1002 1930

수　신 : 장관(국기,과기처)

발　신 : 주 오스트리아 대사

제　목 : IAEA고위인사 방북추진　일반문서 재분류(1992.12.31)

　　1. 10.2(금) 당관 허남과학관이 미국대표부의 M.LAWRENCE 참사관및 M.PETERSON 선임과학관으로부터 다음 첩보를 입수하였기 보고함

　　가. 북한에대한 제 4 차 사찰에 앞서 IAEA 고위인사(P.VILLAROS, W.THEIS, 및 DEMETRIUS PERRICOS(희랍인))3 명을 금 10 월 중순부터 말 사이에 방북토록 추진중임

　　나. 방북목적은 북한이 신고하지 않은 2 개의 핵폐기물시설을 미국이 제공한 인공위성 정보에따라 제 3 차 사찰팀중 2 명이 남아서 보고왔는데 동시설은 핵폐기물처분　부지(액체및　고체시설)로서　화학실험시설의　일부로　당연히 신고했을것으로 기대했는데 신고를 하지 않았기때문에 이를 신고하도록 유도하기 위한것이며 북한측에 대한 일종의 POLITICAL TEST 가 될것임

　　2. 본건관련 세부사항은 IAEA 관계관으로부터 확인중이므로 추보예정임.끝

　　(대사 이시영-국장)

　　예고:1992.12.31 재분류

국기국　　장관　　차관　　1차보　　상황실　　분석관　　정와대　　안기부　　과기처

3. 國際原子力機構(IAEA) 高位人士 訪北推進

o 10.2 IAEA駐在 美國代表部로부터 入手한 諜報에 의하면, IAEA는 北韓에 대한 제4차 査察에 앞서 IAEA 高位人士 3명을 10월중순-10월말 사이에 訪北토록 推進中이라 함.

- 訪北目的은 北韓이 申告하지 않은 2개의 <u>核廢棄物 施設</u>을 美國이 提供한 人工衛星 情報에 따라 제3차 査察팀중 2명이 남아서 보고 왔는데, 同 施設은 IAEA에 당연히 申告했어야 할 化學實驗 施設의 일부인 核廢棄物 處分施設임에도 불구 하고 申告하지 않았기 때문에 이의 申告를 誘導하기 위한 것으로서, 北韓側에 대한 일종의 政治的 테스트가 될 것이라 함.

  * 本件 IAEA側에 事實 確認中임.　　　　(駐오스트리아大使 報告)

0058

외 무 부

종 별 : 지급

번 호 : AVW-1543

일 시 : 92 1007 1830

수 신 : 장관(국기,미이,정특,과기처)

발 신 : 주 오스트리아 대사

제 목 : IAEA관리의 방북

연:AVW-1517

10.7(수)당관이 IAEA 관계관으로부터 파악한바에의하면 10.20 부터 약 1 주일간 P.VILLAROS 사무총장보좌관을 단장으로 W.THEIS 외 2 명(인선중)이 방북하여 미신고시설(핵폐기물 시설 포함예상)을 방문예정이라함. 관련정보 입수시 추보하겠음. 끝

(대사 이시영-국장)

예고:1992.12.31

국기국   장관   차관   1차보   미주국   외정실   분석관   청와대   안기부
과기처
0059

PAGE 1   92.10.08   05:26
외신 2과 통제관 BZ

IAEA(국제원자력기구)의 대북한 핵시설 사찰, 1992. 전6권 (V.6 9-12월) 361

3. 國際原子力機構(IAEA) 關係官 訪北(2)

ㅇ 10.7 IAEA 관계관에 의하면, IAEA 事務總長 補佐官을 團長
으로 한 4명의 關係官이 10.20부터 약1주간 北韓을 訪問,
未申告 施設(核廢棄物 施設 포함)을 視察할 예정이라 함.

(駐오지리大使 報告)

0060

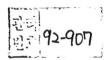

외   무   부

110-760 서울 종로구 세종로 77번지   / (02)720-2336   / (02)720-2686

문서번호 국기20332-│𝑔♭

시행일자 1992.10. 7.(   )

취 급		장 관	
보 존			
국 장	전 결		
심의관			
과 장			
기 안	최 연 호		협조

수신 주오스트리아 대사

참조

제목 북한 핵 관련자료

　　1. 북한 핵 관련자료를 별첨 송부합니다.

　　2. 동 자료에 대해서는 대외보안을 유지하여 주기 바랍니다.

첨 부 : 표제자료 1부.   끝.

예 고 : 첨부물 분리시 일반

외 무 부 장 관

0061

공   란

공   란

공 란

공　　　　　란

IAEA(국제원자력기구)의 대북한 핵시설 사찰, 1992. 전6권 (V.6 9-12월)　367

공   란

공   란

공   란

공　　　　　란

1992. 10

국 제 기 구 국

0070

목   차

0071

IAEA에 제출된 북한 최초보고서

1. 북한 핵시설 목록 (16개)

   ○ 별첨 참조

2. 내용분석

   ○ 북한이 제출한 목록 (16개)중 김일성대학내 준임계시설(1기), 영변에 건설중인 방사능 화학실험실(1기) 및 신포에 건설계획 중인 635MW 발전용원자로 (3기)가 우리측이 파악치 못했던 시설들임.

   ○ 상기 방사능 화학실험실은 신고했으나 대규모시설로 간주되는 동실험실의 전단계인 소규모 실험시설(pilot plant)은 미신고

   ○ <u>김일성대학내 준임계시설은 소규모이나 핵연료로 농축우라늄이 필요한 바, 동 농축우라늄의 공급처가 불명확 (비공개)</u>

   첨부 : 관련 자료 상세 및 원자력 관련 용어 해설

0072

시 설 명	수량	규 모	소 재	비 고
연구용 원자로 및 임계시설 (8MW)	2기		영변핵물리학연구소	기사찰중
준임계시설	1기		평양 김일성대학	기존시설
핵연료봉제조 및 저장시설	2기		영 변	기존시설
핵발전 실험원자로	1기	5MW	영변 핵물리학연구소	기존시설
* 방사능 화학실험실	1기		영변 방사능 화학연구소	건설중
핵발전소	1기	50MW	영 변	건설중
핵발전소	1기	2백MW	평북 (태천)	건설중
발전용 원자로	3기	각 6백 35MW	(신포)	건설계획
우라늄광산	2개소		(순천등)	기 존
우라늄 정련 생산공장	2개소		(평산, 박천)	기 존

── : 우리측이 파악치 못했던 시설

첨부 : 북한 핵 관련 시설 현황상세 및 원자력 관련 용어 해설

0073

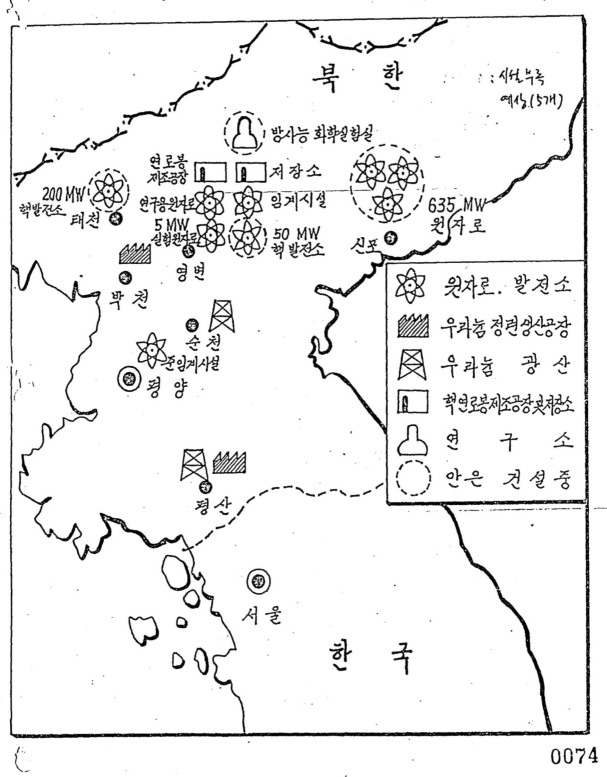

북한의 핵관련 시설
(출처: IAEA 최초 보고서)

0074

북한의 핵 안전조치협정 발효후 IAEA 사찰실시 과정

92.10.14 국제기구과

1. <u>협정의 발효</u>

   o 발효일은 협정 비준 사실에 대한 북한정부의 서면
     통고를 IAEA가 접수한 일자

   | (92.4.10발효)
   ★ 이하 4.10.발효
   따른 각단계별
   최대한 일자

2. 사찰대상 모든 <u>핵 물질에 대한 최초 보고서</u> (initial
   report) 를 IAEA에 <u>제출</u>

   o 발효 해당월의 최종일로 부터 30일 이내

   | 92.5.31 까지
   제출
   (92.5.4 제출)

3. 최초보고서 내용에 대한 IAEA의 <u>임시사찰</u> (ad hoc in-
   spection) <u>실시</u>

   o 임시사찰을 위한 사찰관 임명은 가능한한 안전조치협정
     발효후 30일 이내 완결

   o 북한은 상기 IAEA 사찰관 임명 수락 여부를 제의받은
     후 30일 이내에 사무총장에게 통보

   o IAEA는 사찰관 수락회보 접수후 최소한 1주일전 북한에
     통보후 사찰관 파견

   | 92.6월 16일경
   실시 가능

   (제1차 임시사찰
   92.5.25-6.6 실시)

   (제2차 임시사찰
   92.7.6-20 실시)

   (제3차 임시사찰
   92.8.31-9.12)

4. 보조약정서(하기 5항) 체결 협의기간중 기존 <u>핵시설 관련</u>
   <u>설계정보</u> (design information)를 IAEA에 <u>제출</u>

   o 설계정보는 재처리시설 관련 정보도 포함하여 각 시설별
     설계정보 설문서(Design Information Questionnaire)답변
     형식으로 제출

   | 92.4.10-7.10
   사이

0075

o 제출된 설계정보 검증을 위해 IAEA는 북한에 사찰관 파견
(임시사찰과 같은 절차를 거쳐 파견)

5. <u>보조약정서 (subsidiary arrangement) 체결 및 발효</u>

o 협정에 규정된 안전조치 절차와 시행방법을 구체적으로
명시하는 보조약정서를 IAEA와 체결

o 보조약정서는 일반원칙(general part) 부분과 부속으로
첨부되는 사찰대상 핵시설(북한의 경우 우선 가동중인
5개시설 정도)별 시설부록(facility attachment)으로

구성

- 시설부록은 IAEA가 북한이 제출한 설계정보 내용을
확인한 후 작성하는 바, 통상 IAEA의 임시사찰을
통하여 확정

- 시설부록의 내용은 사찰기간, 횟수, 시점, 절차등을
시설별로 기술

* 7.10 발효된 북한의 보조약정에는 1978년이래 자발적
으로 사찰받아온 2개시설(제1 연구용 원자로와 임계로)
에 대한 시설부록이 우선 첨부된 것으로·보임

6. <u>사찰관 임명</u> 을 위한 사전 협의

o 사무총장은 북한에 대해 IAEA 사찰관 임명에 대한 동의를
서면으로 요청

o 북한은 임명동의 요청 접수후 30일 이내에 수락여부를
사무총장에게 통고

* 사무총장은 필요에 따라 보조약정 체결전이라도 북한
에 사찰관 임명 동의 요청 가능

* 일단 임명동의를 받은 사찰관들은 향후 사찰을 위해
북한 재입국시 임명동의 재요청 불필요

(일반원칙 부분은
92.7.10 발효,
시설부록은 현재
협상 계속)

92.3 IAEA의 대
북한 사찰단 명단
15명(서방국적으로
는 독일,핀랜드,
오지리 각1인)확정

0076

7. <u>일반사찰</u> (routine inspection) 실시

    o IAEA는 보조약정의 시설부록이 완결되는 대로 각 시설별
      로 일반사찰 개시

    o IAEA는 사찰관 임명동의 접수후 사찰실시 1주일전 북한에
      사찰관 파견 사전통보

    o 사찰관 북한 입국, 일반사찰 실시

> 보조약정상 시설
> 부록이 완결되는
> 대로 실시

8. <u>특별사찰</u> (special inspection) 실시

    ~~o 특별사찰은 사찰을 통해~~ 획득한 정보가 협정에 따른
      책임 이행에 충분치 못하다고 판단될 때 실시

    o 따라서 북한의 미신고 핵물질 및 시설에 대한 의혹이
      있을 경우 IAEA 이사회 결정에 따라 특별사찰 실시가능

      * 92.2월 IAEA이사회는 IAEA가 상기 핵관련 추가정보를
        입수하여 관련장소를 조사할수 있는 권한을 갖고 있음
        을 재확인

    o 쌍방 합의후 가능한한 빠른 시일내 사찰관 파견 사전
      통보후 실시

      * 북한은 IAEA 관리가 원한다면 어떠한 장소에도 방문
        을 허용하겠다고 언급하였으나 이것이 특별사찰을
        의미하는 것은 아니라는 입장임

> 통상적으로 일반
> 사찰실시후 필요
> 시

끝.

IAEA의 대북한 특별사찰 실시 문제

1. 근거

o IAEA는 핵시설에 대한 미신고 의심이 있을 경우 당사국에 먼저 해명을
  요구하고 동 해명이 불충분할 경우 당사국과 협의를 거쳐 특별사찰 실시
  (안전조치 협정 제77조)

o 당사국이 특별사찰 실시를 계속 거부하거나 특별사찰 실시 결과 협정의무
  위반사실 (미신고 핵물질등)이 발견되는 경우 동 내용을 유엔 안보리에
  보고 (IAEA 헌장 제12조 C항)

o 92.2월 IAEA이사회 (2.24-28)는 미신고 핵시설 및 물질관련 추가정보를
  입수하여 관련 장소를 사찰하기 위한 IAEA의 특별사찰 실시 권한 재확인

2. 대북한 특별사찰 실시 문제

o IAEA는 북한이 신고한 내용과 IAEA 사찰 실시와 아직까지는 큰 차이가
  없는 것으로 보고 있어 IAEA의 대북한 특별사찰 가능성은 희박

o IAEA가 대북한 특별사찰실시를 결정하더라도 북한이 사찰관 임명에 대한
  동의권 (안전조치 협정 제9조)을 갖고 있어 특별사찰 실시 회피 가능

o IAEA 3차 대북한 사찰단의 2개의 미신고시설 방문은 북한이 지난 5월
  블릭스 사무총장 방북시 행한 약속 (IAEA 관리의 북한내 어떠한 시설
  및 장소방문 허용)에 따라 이루어진 것으로 특별사찰이 아니며, 북한
  도 시찰이지 특별사찰이 아님을 강조

0078

IAEA에서의 북한 핵문제 토의동향

1. 92.2월이사회 (2.24-26)

   o 35개 이사국중 31개 이사국 및 2개 옵서버국이 북한의 IAEA 핵안전조치협정의 비준 촉구

   - 북한이 4월 최고인민회의에서의 심의후 추가조치없이 협정 발효 및 이행 희망

   - 북한이 협정 발효이전에 IAEA에 핵재고정보(inventory) 제출 촉구

   - 사무총장에게 북한의 협정비준 및 이행상황에 대해 6월이사회에 보고 요청

2. 92.6월이사회 (6.15-19)

   o 35개국중 22개 이사국이 우리입장 지지 발언

   - 북한의 지속적인 협정의무 이행 촉구

   - 남북한 비핵화 공동선언 이행의 중요성 강조

   - 사무총장에 9월이사회시 진행상황 계속 보고 요청

3. 92.9월이사회 (9.16-17)

   o 35개이사국중 24개국이 우리 입장지지 발언

   - 북한의 IAEA 안전조치 협정의 완전한 이행의 중요성 강조

   - 남북한 비핵화 공동선언 이행의 중요성 강조

0079

- 사무총장에 협정이행의 진전상황을 차기이사회에 적절한
  의제하에 계속 보고 요청

ㅇ 블릭스 사무총장은 북한에 대해 그간 3차례 임시사찰이 실시되었
  으며 보조약정의 시설부록관련 3개시설에 대해서는 협의 완료
  하고 4개시설에 대해서 협의중이라고 보고

4. 92.9월 제36차 총회 (9.21·25)

ㅇ 일본, 영국(EC대표), 러시아등 20개국이 기조연설을 통해 북한의
  핵안전 협정 충실이행과 한반도 비핵화 공동선언 및 남북한 상호
  사찰의 조속 실현 촉구

ㅇ 블릭스 사무총장은 북한 핵사찰관련 3차에 걸친 임시사찰 결과
  많은 검증이 이루어졌으나 북한 핵사찰은 아직 초기단계에 있다고
  보고

0080

북한 원자로의 안전문제 및 대책

o 북한이 IAEA에 제출한 최초보고서 (92.5.4)에 의하면 북한은 8MW 연구용 원자로(1기)와 5MW 실험용 원자로(1기)를 가동중에 있으며 상용원자로 2기(50MW 1, 200MW 1기)를 건설중임.

o 북한의 원자로는 모두 천연우라늄을 핵연료로 사용하고, 감속재로 흑연을 사용하며, 냉각재로 탄산가스를 사용하는 '흑연감속가스냉각형 원자로'(Magnox형 원자로)임.

  - 전문가들에 의하면 '흑연감속가스냉각형 원자로'는 당초에 핵무기 제조에 필요한 핵물질을 생산하기 위해 개발된 원자로로서 안전성 및 능률에 취약점이 있으며

  - 핵연료가 손상되거나 흑연 블록에 파손이 생기면 냉각채널이 폐쇄 될 수 있고 흑연의 열처리 실수와 함께 흑연화재가 발생할 수 있으며

  - 흑연화재는 체르노빌 사고에서 알수 있듯이 대량의 방사능을 유출 시킬수 있다함.

o 북한의 원자로는 산업기술 수준이 낮은 상황하에서 독자개발을 해 왔으며 IAEA를 통한 안전성 검사등을 회피해 옴에 따라 안전성이 상당히 취약한 것으로 추정되며 상기와 같은 사고 발생가능성도 배제할 수 없는 실정임.

0081

o   정부는 IAEA를 통한 북한 원자로의 안전성 검사 실시와 북한 원자력
    시설의 대외공개 및 블릭스 사무총장이 방북시 (92.5.11-16) 북한에
    권고한 바 있는 '핵사고시 조기통보 및 지원에 관한 협약' 가입을
    유도하고, 남북한 관계 진전에 따라 북한과의 원자력 안전분야의
    협력방안 추진을 검토하고 있음.

0082

IAEA 사무총장 방북 결과 보고서

1. 개요

   ○ 블릭스 사무총장은 92.5.11-16간 방북하여 주요 북한 핵시설 시찰

2. 북한 핵시설 시찰 내용

   ○ 방사화학실험실

      - 북측은 소규모실험시설(pilot plant)의 존재를 부인하고 재처리 기술을 고방사능실험(hot test)과 비방사능실험(cold test)을 통해 축적했다고 주장

   ○ 동위원소 처리실험실

      - 북측은 의료용 방사선 동위원소 생산시설이라고 주장

   ○ 핵연료봉 제조공장 및 저장소

3. 사무총장의 평가 및 대북한 권고

   ○ 평가

      - 전력난 해소를 위한 북한의 원자력 개발에의 집착은 강했으나 핵 재처리 계획에 대한 집착은 강해 보이지 않았음.

      - 대규모 재처리 시설 관련 기술적, 재정적 어려움 전망

      - 우라늄 농축 및 중수(heavy water) 생산시설은 없는듯함.

0083

- 북한측 설명에도 불구, 사전 실험시설을 거치지 않고 1987년
  부터 대규모 핵 재처리 시설인 방사화학실험실 건설시작등에
  대한 의문 지적

o 대북한 권고

  - 북한이 추진하고 있는 자력의 원자력개발은 경비가 많이듬으로
    타국 전문가 및 과학자들의 자문을 받도록 권고
  - 북한의 플루토늄 생산은 주변국가들이 인정치 않는 정치적문제
    임을 강조
  - 북한에 '핵사고 조기 통보에 관한 협약' 가입 권고

첨부 : 관련 상세 자료

0084

1992. 6. 8
國際機構局
國際機構課(32)

長 官 報 告 事 項

題 目 : IAEA 사무총장 방북결과 보고서 주요내용

최근 IAEA가 작성한 '블릭스' IAEA 사무총장의 방북(5.11-16) 결과 보고서 중 북한 핵시설 관련 새로운 내용과 사무총장의 평가 및 권고내용 을 아래와 같이 보고 드립니다.

1. 북한 핵시설 관련 새로운 내용

㉮ 방사능 화학 실험실(RL : Radiochemical Laboratory)

   o 북한은 재처리 기술을 순수실험실 연구, 문헌 연구, 관련 장비 실험(cold test) 및 우라늄/플루토늄 분리 고방사능 실험(hot test)을 통해 축적했다 함.

   o 이렇게 제한된 기술만을 갖고 특히, 소규모 실험시설(pilot plant)도 거치지 않고 바로 대규모 방사화학실험실을 건설할 수 있었느냐에 대해 북한측은 사전 실험시설의 존재를 극구 부인 함

   - 1990년 건설중인 방사화학실험실(RL)에서 고 방사능 실험(hot test)을 하기 이전에도 염변내 '방사화학연구소' (Institute for Radiochemstry) 에서 기초적인 화학실험과 관련 장비실험(cold test)은 지속적으로 해 왔다 고 밝힘.

   o 북한측은 동 시설이 핵 연료 주기(NFC : Nuclear Fuel Cycle) 연구 를 위한 것으로 1996년에 완전 가동 할 수 있을 것이므로, 그때까지는 실험실(labora-troy)이라는 용어가 적합하다고 주장

   o 북한측은 한반도가 비핵화되는 상황하 에서는 사용후 핵 연료 재처리 기술 을 포기할 수 있을 것 이라고 함.

㉯ 동위원소 처리 실험실(IPL : Isotope Processing Laboratory)

   1) 시설개관 및 의문점

   : o 동 실험실은 최초보고서에 포함되어 있지 않았던 시설 로 북한측은 주저 하면서 공개

- 1 -

o 동 실험실에서는 연구용원자로(IRT-2000)에서 나오는 방사후 연료 샘플 (irradiated samples)을 받아 방사능 화학 동위원소 연구 를 해옴.

- 동 실험실내에는 소련이 제공한 7개의 콘크리트 hot cell (길이 약 2.4 m)이 존재, 여기서 1975년 이후 우라늄/플루토늄 화학연구 를 해 왔고, 연구결과 밀리그램 정도의 플루토늄 존재를 발견했으나 추출해 보지 못했다 함.

o 이와관련 Blix 사무총장은 동위원소 처리 실험실(IPL)도 사찰대상으로 보고할 것과 기초적인 우라늄/플루토늄 실험단계로 부터 대규모 방사화학 실험실(RL) 건설로 건너뛰게(jump)된 정치적 결정에 대한 추가설명 요청

2) 북한측 설명

o 동위원소 처리 실험실(IPL)내 hot cell들은 주로 의료용 방사선 동위원소 생산에 사용 되어 왔음.

- 동 hot cell들은 소련과의 일괄도급 계약(turn-key contract)에 의해 건설되어 타목적으로의 변형이 불가함.

o 동 hot cell들에서는 연료봉 마개절단, 피복 분리 및 연료봉(우라늄) 분해 실험은 가능했으나, 재처리에 필요한 고방사능 실험(hot test) 경험은 핵연료봉 제조 공장에서 우라늄 정제과정중 사용한 용매추출 (mixer-settler extraction) 기술에서 터득 하였음.

o 위와같은 연구결과에 따라 1987년에 방사화학실험실(RL) 건설 이 가능 하였고, 1990년에는 건설중인 방사화학실험실내 hot cell 에서 우라늄/ 플루토늄 추출에 필요한 고방사능 실험(hot test) 을 실시 하게 된 것임.

다. 핵연료봉 제조공장 및 저장소(Fuel Rod Fabrication Plant and Storage)

o 기술수준은 낙후 되었지만 5MW 연구로 및 건설중인 50MW, 200MW 원자로 용 핵연료도 생산할 수 있을 것으로 봄.

- 5MW 연구로 에 사용되고 있는 핵연료의 대부분은 이미 폐쇄된 pilot plant(장소 미상)에서 제조된 것 으로 파악

o 핵 연료봉 저장소도 제조공장과 같은 장소에 위치하고 있으나 북한은 이를 별도시설로 보고

- 동 시설은 1개이상의 원자로심(reactor core)을 채우기에 충분한 양의 연료봉을 저장하고 있었음.

* 사무총장은 설계정보서(DIQ)에 핵연료봉 제조시설에 있는 산화우라 늄(UO₂) 생산라인도 포함시킬 것을 요청

라. 지하터널 (Underground Tunnels)

o 첫번째 터널은 방사 화학실험실로 연결되는 교통로(road tunnel)

- 2 -

0086

○ 두번째 터널은 지하방공호로 사용한다고 주장하는 것으로 6개의 대형 아치형 홀(vaulted halls)과 작은 방들로 구성(환기 및 전기시설 부재)
    * 북한측은 동 지하터널 이 비밀 핵 시설 은폐용일수 있다는 주장을 보인

2. 사무총장의 평가 및 대북한 권고 내용
  가. 전반적 평가
    ○ 전력난 해소를 위한 북한의 원자력 개발에의 집착은 강했으나, 증식로나 경수로가 없는 상태에서 핵 재처리 계획에 대한 집착은 그다지 강해 보이지 않았음.
      - 대규모 재처리시설 건설 관련 기술적, 재정적 어려움이 있을 것으로 전망
    ○ 북한은 자력 개발한 흑연료(GMR)를 경수로(PWR)로 교체하는 것을 고려하고 있으나, 외부로부터의 기술, 장비 및 핵연료(저농축 우라늄)의 지원부족 과 재정상 어려움 으로 추진하지 못하고 있는 듯함.
    ○ 우라늄 농축(enrichment) 및 중수(heavy water) 생산시설은 없는 듯함.
    ○ 북한측 설명에도 불구 아래점에 대한 기본적 의문은 해소되지 못함.
      ① 1994년 에야 빼내게되는 실험용 연구로(5MW)의 노심 (핵연료봉 집합체) 처리를 위해 1987년부터 방사화학실험실(RL) 건설을 시작하게 된것.
      ② 사전 실험단계(pilot plant)도 거치지 않고 그렇게 서둘러 대규모 핵 재처리 계획(방사화학 실험실)을 추진하게 된 이유

  나. 대북한 권고 내용
    ○ 북한이 추진하고 있는 자력(self-reliance)의 원자력 개발 및 핵연료 주기 연구 계획은 경비가 많이 드므로, 타국 전문가 및 과학자들의 자문을 받도록 권고
      - IAEA도 핵안전(safety)과 전력수요 평가 및 원자로개발 계획 분야에서 지원할 수 있음을 언급
    ○ 북한이 국제적으로 신뢰를 얻게 되는 경우 북한의 원자로 개발 계획에 대해 주요 핵 공급국(미국,일본,중국등)들 에게 알리고 필요한 지원을 받을 수 있을 것임.
      - 남북한간 대화증진, 핵시설 및 물질에 대한 추가 정보제공과 IAEA 사찰관들에 대한 상시방문 허용(standing invitation)은 북한에 대한 개방과 투명성을 제고시킬것
      - 특히, 재처리 계획 포기를 결정하는 경우 경수로(PWR) 전환에 필요한 지원을 받을 수 있을것.
    ○ 북한의 플루토늄 생산은 IAEA 안전조치 대상 차원의 문제가 아니라, 한반도 주변국가들이 이를 인정하지 않는다는 정치적 문제 임을 강조

- 3 -

0087

- 핵 재처리 시설의 포기는 결코 경제적 희생을 의미하는 것이 아니며, 최근 세계 우라늄 가격과 농축비용의 인하로 상당수 국가들이 재처리 계획을 포기하고 있음을 설명
  - ㅇ 핵 안전 관련 국제적 협조를 위해 북한이 '핵사고 조기통보에 관한 협약' 에 가입할 것을 권고
- 다. 사찰관 추가 임명 및 상시 방문 문제
  - ㅇ 사무총장은 지금까지 임명된 대북한 사찰관들외에 3명의 사찰관 (서방국적인 으로 추정)의 추가 임명에 대해 북한측이 동의해 줄것을 요청 했으나 북한 측은 답변회피
    - 정상적 임명동의가 불가할 경우 동 3명의 전문가가 최초 임시사찰에 참여 할 수 있도록 협조 요청
  - ㅇ 사무총장이 제안한 IAEA 사찰관의 북한내 핵시설 및 장소 상시 방문(stand-ing invitation) 허용문제에 대해 북한측은 주권 침해는 용납할 수 없으나 사찰관이 아닌 IAEA 직원(officials)이 어떠한 시설 및 장소를 방문(visit) 하도록 허용하겠다 함.
    - 그러나, 이는 IAEA의 안전조치제도의 일환인 '특별사찰' (special inspec-tion) 과는 전적으로 다르다 함.

3. 향후 조치계획

- ㅇ 상기 사무총장의 보고서 내용에 6.10(수) 사무총장 비공식 브리핑과 6월이사회 (6.15-19)시 북한의 협정이행 상황에 대한 보고내용(임시사찰 결과 포함)을 추 가하여 북한의 핵시설 내용 (특히, 재처리 시설 및 능력) 에 대하여 구체적으로 파악, 분석
- ㅇ 동 분석을 기초로 향후 IAEA 및 남북한 상호사찰 대책 마련

4. 대언론 관계조치 사항 : 해당사항 없음.   끝.

예고 : 92.12.31 일반

- 4 -

0088

블릭스 IAEA 사무총장의 미하원 소위 설명회

1. 개요

   o 92.7.23 블릭스 사무총장은 미하원 외무위 공개설명회에서 IAEA
     의 특별사찰 실시 권한과 대북한 사찰관련 설명회 실시

   ------

2. 주요내용

   o 북한 핵사찰 문제

      · 방사화학실험실의 건설 목적

      · 사용후 핵연료의 양과 플루토늄 추출양

       . 5MW 원자로 노심(core)에 있는 핵연료가 87년 최초 장입된
         연료인지 여부는 금후 1년이내 예상되는 핵연료 교체시 확인
         가능

      · 농축 우라늄 시설

       . 북한의 우라늄 농축 시도 흔적없음.

      · 북한 최초보고서의 성실성

       . 현재까지 북한 신고내용과 IAEA 검증결과간 차이없는 것으로
         보이나, 북한 핵능력에 대한 확실한 보증이나 경종을 울릴
         단계 아님.

   o IAEA 특별사찰 실시 문제

      · IAEA의 특별사찰 실시 권한 재확인

   첨부 : 동설명회 관련 장관보고사항

0089

長 官 報 告 事 項

報 告 畢

1992. 7. 24.
國際機構局
國際機構課(38)

題 目 : IAEA 사무총장의 미하원 소위 설명회

> 92.7.23 '블릭스' IAEA 사무총장의 미하원 외무위 공개 설명회에서 발언한
> 내용중 IAEA의 특별사찰 실시 권한과 대북한 사찰관련 특기사항을 아래
> 보고 드립니다.

1. IAEA의 특별사찰 실시문제

o IAEA는 협정당사국내에 신고되지 않은 핵시설 또는 물질 이 있다고 믿을 근거가
  있을때 이에 대한 특별사찰 (special inspection) 을 실시 할 수 있는 권한이
  있음
  * 92.2월이사회는 미신고 핵시설 및 물질관련 추가정보(additional information)
    를 입수하여 관련 장소(locations)를 사찰하기 위한 IAEA의 특별사찰 실시
    권한을 재확인함

o 그러나 IAEA의 특별사찰은 군축 검증 차원에서 의심이 있건 없건 아무장소나
  사찰할 수 있는 강제사찰(challenge inspection)과는 의미가 다름
  * IAEA는 미신고 의심이 있을 경우 당사국에 먼저 해명을 요구하고, 동 해명이
    불충분한 경우 당사국과 협의를 거쳐 특별사찰 실시 (안전조치협정 제77조)
  * 당사국이 특별사찰 실시를 계속 거부하거나 특별사찰 실시 결과 협정의무
    위반사실(미신고 핵물질등) 이 발견되는 경우 동내용을 안보리에 보고 (IAEA
    헌장 제12조 C)

0090

o 시간적 요소가 중요하기 때문에 기습사찰(surprise inspection)이 필요하다는
주장도 있지만 <u>비밀 핵시설이나 물질을 찾고 있을 경우 사찰실시 속도가 그렇게</u>
<u>중요한 것은 아님</u>

   - 원자로, 재처리공장, 농축공장등의 시설은 그렇게 쉽게 옮길수 있는 것이
   아니며, 핵물질도 이동은 가능하지만 생산된 시설을 찾는것이 중요하므로
   시간을 다투는 사항은 아님

   - 또한 IAEA는 강제적 성격의 기습사찰 권한이 없음

o 신고되지 않은 군사시설에 어떤 핵 물질이 있다고 믿을만한 근거가 있을때
<u>IAEA는 동 군사시설에 대해서도 특별사찰을 요구할수 있을것임</u>

   - 이는 NPT상 핵무기 비보유국가들중 전면 안전조치협정 체결 당사국에 한해
   적용 가능함

o 이라크의 경우에는 안보리 결의(제687호)에 의거 IAEA 사찰단이 이라크내 모든
시설을 자유롭게 사찰할 수 있는 광범위한 권한을 부여 받았으나, 북한에 대하
여 IAEA는 이같은 사찰권한을 갖고 있지 못함

   - 단, 북한은 언제, 어느장소(신고하지 않은 시설 포함)라도 IAEA 관리의 방문
   을 허용할 것이라고 약속한 바 있음

2. 북한이 신고한 핵시설 및 물질관련 특기사항

가. 방사화학 실험실

   o 소규모의 <u>실험시설(pilot plant)의 단계</u>를 거치지 않고 바로 대규모 재
   처리공장의 건설이 가능할 수 있었는지에 대해 북한측은 <u>명확히 설명하고</u>
   <u>있지 못함</u>

      - <u>전문가들</u> 견해에 의하면 일반 산업국가에서는 있을 수 없는 일이지만
      (안전도 문제를 전혀 고려하지 않는다면) <u>가능은 할것</u>이라함

      - 동시설의 건설은 현재 중단된 상태이며, 어떠한 것도 생산치 못하고 있음

   o 북한의 핵 재처리시설 건설 목적이 핵무기 제조를 위한것이라고 결론을
   내릴수는 없지만, <u>재처리시설이 없다 하더라도 북한의 평화적 핵개발</u>
   <u>계획이 손상되지 않을 것임</u>

      - 그러나 IAEA는 북한에 대해 동 재처리 시설의 해체(dismantle)를 요구
      할수 있는 권한이 없음

0091

나. 사용후 핵연료의 양과 플루토늄 추출양

   o 5MW 원자로 노심(core)에 있는 핵연료가 87년 최초로 장입된 핵연료인지
     여부는 앞으로 1년이내 에 예상되는 핵연료 교체시 확인 가능

     - 앞으로 장입될 새로운 핵연료는 감시장치 설치등을 통해 전용 여부를
       철저히 확인할 수 있을 것임

     - 북한은 동 원자로에서 수거한 손상된 핵연료봉(damaged fuel rod)의
       숫자를 보고했으나, 안전조치 비밀 규정에 따라 밝힐수는 없음

   o 북한은 90.3월 방사화학실험실에서 그램단위 플루토늄 추출을 시인했으나
     그 이상의 플루토늄 추출은 강력히 부인함

다. 농축 우라늄 시설

   o 북한이 핵연료 주기연구를 하고 있으나 우라늄농축을 시도하고 있다는
     흔적은 없음

     - 북한은 원자로 연료로 자국내에서 생산된 천연우라늄을 사용하고 있기
       때문에 아직까지 농축우라늄의 필요성은 없는것으로 판단

라. 북한 최초보고서의 성실성

   o 현재까지는 북한이 신고한 내용과 IAEA가 실제 검증한 결과간에 차이가
     없는 것으로 보임

   o 그러나 북한의 핵능력에 대한 평가와 관련 확실한 보증을 주거나 경종을
     울릴 단계 는 아님

3. 기타

   o IAEA가 강제사찰을 실시할 수 있는 보다 강력한 권한을 갖게 되기를 바라는 바
     이나, 회원국 모두 가 그러한 강력한 사찰권한의 부여를 인정하려고 하지는 않음

   o IAEA는 지난 수년전부터 당사국이 신고한 내용이외에 극히 제한된 범위(very
     limited extent)의 외부 정보를 받고는 있으나, 이를 전적으로 신뢰할 수는
     없음

     - IAEA는 사찰강화를 위해 외부로부터의 지속적인 첩보 정보제공을 환영함   끝

0092

북한 핵관계 일지

- 85.12.   북한, 핵 비확산조약(NPT) 가입

- 89.12   북한, 3차에 걸쳐 IAEA와 협정체결 교섭

    ·90,7   · 북한은 한반도내 핵무기 철거와 미국의 북한에 대한 개별적 핵선제 불사용보장(NSA)을 협정체결 전제조건으로 주장

- 91.7.16. 북한, IAEA와 협정문안을 최종 확정, 91.9월 이사회 승인을 득함 문안 합의 이후 남.북한 핵 동시사찰 및 한반도 비핵지대화등의 종전입장 반복

- 91.9.12. IAEA 이사회, 북한에 대해 동 협정의 조속한 서명, 비준 및 이행을 촉구하는 결의 채택

- 91.9.27. 「부쉬」 미국대통령의 핵감축 선언과 11.8. 노대통령의 「한반도 비핵화」 선언

- 91.11.27. 북한, 남한에서 핵무기 철수가 개시될 경우 핵사찰에 응하겠다는 외교부 성명 발표

- 91.12.31. 제5차 남북고위급회담에서 남북한간 ·「화해와 불가침 및 교류. 협력에 관한 합의서」 서명 채택

    · 「공동발표문」 에서 남북한은 한반도에 핵무기가 없어야 한다는데 인식을 같이함.

    - 정원식 총리, 남북한 동시 시범 핵사찰 실시 제의

- 91.12.18. 노대통령, 「한국내 핵부재」 선언

- 91.12.22. 북한, 미국이 앞으로 핵부재에 관한 명백한 입장을 밝히리라는 것을 전제로 NPT에 따른 안전조치 협정에 서명, 해당절차를 통해 사찰을 받게 될 것을 천명한다는 외교부 성명 발표

- 91.12.31. 핵문제 협의를 위한 제3차 남북 판문점회담에서 남북한은 「한반도 비핵화에 관한 공동선언」 채택

0093

- 핵무기 시험. 제조. 생산. 접수. 사용금지, 핵재처리 농축시설 보유
  금지, 핵통제 공동위 구성 및 비핵화 검증을 위한 상호 동시사찰
  등에 합의

o 92.1.1.   김일성, 신년사에서 북한은 공정성이 보장되는 조건에서 핵사찰을
             수락할 것임을 밝힘.

o 92.1.7.   북한, 92.1월말 협정서명후 적절한 절차에 따라 가장 빠른 시기내에
             비준 및 발효, IAEA와 합의하는 시기에 사찰수락 계획 발표

o 92.1.30.   북한, IAEA와 핵안전협정서명
             - 국내절차상 시간이 걸리기 때문에 2월 IAEA 이사회전 협정 비준은
             힘드나 최단시일내 비준을 위해 최선의 노력을 할 것임을 밝힘.

o 92.3.19.   남북 핵통제공동위(JNCC) 발족

o 92.4.10.   북한 IAEA 핵안전협정 발효

o 92.5.4.   북한, IAEA에 최초보고서(Initial Report) 제출

o 92.5.11   Blix 사무총장 방북
   16

o 92.5.25.   제1차 IAEA 대북한 임시사찰
   -6.5

o 92.7.6-17 제2차 IAEA 대북한 임시사찰

o 92.7.10   북한 - IAEA 보조약정 일반사항(general part) 발효
             - 시설부록(facility attachment)은 현재까지 협상 계속

o 92.7.23   블릭스 사무총장, 미하원 외무위 공개 설명회
             IAEA의 특별사찰 실시 권한 언급
             · 북한이 신고한 핵시설 및 물질관련 특기사항 언급

o 92.8.31   제3차 IAEA 대북한 임시사찰
   -9.12

o 92.9.16   IAEA 9월이사회
   -17

o 92.9.21   IAEA 제36차 총회
   -25

0094

공   란

공　　　　　　란

공   란

공 란

공　　　　란

공   란

외 무 부

종 별 :

번 호 : AVW-1566

일 시 : 92 1009 1920

수 신 : 장관(국기,미이,정북,과기처)

발 신 : 주 오스트리아 대사

제 목 : 북한 원자로의 안전문제관련·정책건의

1. 지난 9.28-30 간 IAEA 에서 개최된 INSAG(INT'L NUCLEAR SAFETY ADVISORY GROUP)회의에 한국출신 위원으로 선임된후 처음 참석했던 장순흥 교수(한국과학기술연구원 소속)는 INSAG 회의 과정에서 **북한의 기존및 건설중인 원자로의 안전문제와관련,** MAGNOX 형 원자로및 안전문제를 일반적 TERM 으로 제기한바있으며, 이와 병행하여 당지 북한대표부 운호진 참사관(92.9.23)및 IAEA 안전국장 M.ROSEN 박사(92.9.25)와의 각각 비공식 접촉을 통하여 동문제관한 의견교환이 있었는 바, 동요지 아래와같음.

가. 운호진 참사관의 언급요지

운참사관은 한국측이 북한 원자로의 안전문제에 대해 공개적으로 왈가왈부하는데 대하여 불만을 토로하면서도 한국측이 원전의 안전문제가 중요하니 함께 토의해 보자는 식으로 접근해올 경우 이에 응할수 있지 않겠느냐는 반응을 표시했다함.

나. ROSEN 박사와의 협의내용

한국 수석대표의 기조연설에서 표명된 북한 원자로의 안전문제와 관련, 개인견해임을 전제로 영국과 북한을 포함하여 동일한 MAGNOX 형 원자로를 사용하는 국가간에 IAEA 주관으로 안전 평가회의를 개최하는 문제를 신중히 거론하면서, 과거 파키스탄이 독자적으로 개발한 CANDU 형 원자로의 안전평가를 위해 IAEA, 카나다및 파키스탄 3 자간의 공동회의를 소집한 예가 있다함.ROSEN 박사로서는 그러한 구상을 우선 BLIX 사무총장과 사전협의를 하고 구체적인 시행계획은 당관과 추후 협의키로 하였다함.

2. 현단계에서는 북한의 핵개발과 관련, 안전조치 사찰문제가 가장 큰 현안임에 틀림없으나, 한편 북한의 원자로 가동및 건설활동이 계속되고있는것도 엄연한 사실이며, 그러한 원자로 활동이 국제적 표준에의한 안전성 점검이나 안전도 제고노력

국기국 과기처	장관	차관	1차보	미주국	외정실	분석관	청와대	안기부

PAGE 1

0101

92.10.10   06:24

외신 2과 통제관 FM

IAEA(국제원자력기구)의 대북한 핵시설 사찰, 1992. 전6권 (V.6 9-12월) 403

여부가 전혀 미지수인 가운데 진행되고있어 남한은 물론 주변 국가에서도 심각한 관심사로 대두되고있는것도 사실인만큼, 북한 원자력 활동의 안전성문제를 IAEA 나 동북아지역 차원에서 본격적으로 다룰수있는 외교적 기술적 근거와 기회를 지금부터 착실히 마련해 나가는노력이 병행되지 않으면 안된다는것이 당대표부의 판단임.(WAV-1569 에 계속)

관리 번호	92-911

외 무 부

종 별 :

번 호 : AVW-1569   일 시 : 92 1009 1920

수 신 : 장 관(국기,미이,정특,과기처)

발 신 : 주 오스트리아 대사

제 목 : AVW-1566의 계속분

~~당대표부의 판단임.~~

3. 다만 북한의 핵안전성 문제의 제기가 북한의 핵개발을 저지하기 위한 지금까지의 IAEA, 핵심우방및 남북한 차원의 총체적 외교적 노력을 저해하거나 분산 또는 약화시켜서는 안될것이므로 현단계에서는 아래와같은 접근방법을 검토할수 있을것으로 판단됨.

가.IAEA 차원의 접근 방법

(1)상기 1 항에서 언급된 MAGNOX 형 기존원자로의 안전도를 점검하고 그 안전성을 높이기우한 관련 국가간 안전분야 전문가회의를 IAEA 기술 지원하에 개최하는 방법(MAGNOX 형 원자로의 과거 또는 현재 보유국인 영국, 불란서, 북한, IAEA 간)

(2)북한측이 자발적으로 IAEA 에 대하여 ASSET(ASSESSMENT OF SAFETY SIGNIFICANT EVENT TEAM)또는 PRE-OSART(OPERATIONAL SAFETY REVIEW TEAM)를 파견요청토록 유도하는 방안(소요경비는 IAEA 가 부담하되 내용적으로는 한국등이 부담하는 방안도 강구 가능)

(3)RCA(REGIONAL COOPERATION AGREEMENT)에 북한도 참여토록 IAEA 및 중국등 RCA 참가국들이 권유하는 방법

(4)핵사고 조기통보에 관한 협약(1986)및 핵사고 또는 방사선 비상시 지원에 관한 협약(1986)에 북한은 서명만했으나 조기비준, 발효토록 권유

나. 지역협력 차원의 접근 방법

(1)한, 일, 중간의 원전 안전문제(조기경보망 포함)및 비상시 공동대처 문제관련 지역협력 체재를 추진하되, 중국등을 통해 북한의 참여를 유도하는 방안

(김진현 수석대표의 제 36 차 IAEA 총회 기조연설시 동북아 지역협력 체제 구축 촉구)

국기국 과기처	장관	차관	1차보	미주국	외정실	분석관	청와대	안기부

0103

PAGE 1   92.10.10   06:22

외신 2과 통제관 FM

다. 남북차원의 접근 방법

핵봉제공동위 소관사항(남북상호 핵사찰)에 구체적 진전이있을 경우 적절한 시기에 아래문제를 제기하여, 남북한간 협력추진

(1)원자력 발전 전분야에 걸친 남북한 협력문제를 제기하여 방안협의(예컨대 북한의 원자로형 변경을위한 기술협력등)

(2)원자력 발전의 안전분야에있어서의 남북간 기술협력 방안협의

4. 전항 제반 접근 방법중 최소한 가항및 나항의 방안은 적절한 시기를 택하여 구체적 실천에 옮기는 방법을 강구함이 국익상 필요할것으로 판단되어 건의하니 검토후 회시바람. 끝

(대사 이시영-장관)

예고:재분류 1993.12.31

검 필(1992.12.31)

검 토 필(1997.6.30)

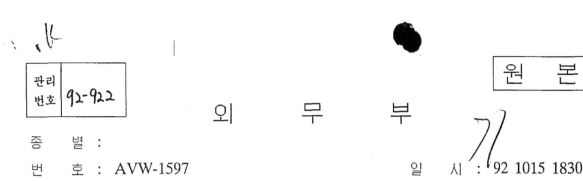

관리
번호 92-922

외 무 부

종 별 :

번 호 : AVW-1597

일 시 : 92 1015 1830

수 신 : 장 관(국기,미이,정특,기정.과기처)

발 신 : 주 오스트리아 대사

제 목 : 제4차 사찰단 방북

연:AVW-1517,1543

1. 10.15(목) IAEA 사무국 관계관에 의하면 WILLI THEIS 를 단장으로 한 6 명의 사찰단이 3 주간 일정으로 방북할 계획임이 확인되었기 보고함.

가. 사찰관명단:THEIS, ABOU-ZAHRA, PYKHTIN, RUKHLO, SAUKONEIN METWALLY

나. 방북일정:11.1 비엔나 출발-11.3 평양도착

평양출발 11.21-11.23 비엔나도착

2. 연호 AVW-1543 으로 기보고한바있는 IAEA 관리의 방북이 예정대로 시행될것인지 여부는 계속 확인 추보예정임.끝

(대사 이시영-국장)

예고:1992.12.31

일반문서로 재분류 (1992 12.3.)

국기국	장관	차관	1차보	미주국	외정실	분석관	정와대	안기부
과기처								

0105

PAGE 1

92.10.16   05:18

외신 2과   통제관 FK

2. 제4차 IAEA 核査察團 訪北

ㅇ 10.15 IAEA 事務局으로부터 確認한 바에 의하면 4명의 査察官
으로 構成된 제4차 IAEA 査察團(團長: '타이스' 安全管理官)이
11.3-21간 訪北할 예정이라 함.   (駐오스트리아大使 報告)

0106

외 무 부

종 별 :

번 호 : AVW-1608   일 시 : 92 1016 1840

수 신 : 장 관(국기-친전)

발 신 : 주 오스트리아 대사

제 목 : IAEA 대북활동

연:AVW-1517,1543,1597

　　1. 10.16(금) 당관이 미국대표부 선임과학관 PETERSON 박사로부터 파악한바에 의하면 작일 AVW-1597 로 보고한 4 차 사찰팀과는 별도로, 연호로 보고한바있는 VILLAROS 사무총장 특별보좌관을 단장으로하고 THEIS 및 PERRICOS (희랍인으로 이락 핵무기 제조시설 확인에 공로가있는 전문가임)외 1 명(PO;OTOCAL SENSE 가 있는 인사로 인선중)이 수행하는 IAEA 방문단이 앞으로 1 주일후에 북한 방문차 당지를 출발하는것으로 알려졌다함.

　　2. 상기관리들의 방북시에는 미국측이 최근 제공해주고있는 각종정보를 기초로하여 북한당국이 최초 보고서에서 신고하지 않은 핵관련 시설의 누락된 부분이 있으면 전부 신고토록 촉구하게 될것이라 하며, 그러한 시설들을 종합적으로 둘러보고 올 예정이라함.

　　3. IAEA 의 4 차 사찰단및 상기 방문단의 방북예정과 일정및 특히 상기 2 항 미측의 정보제공 사실등은 IAEA 가 금번 사찰및 방문에 북한당국의 협조를 최대한 얻기 위하여 대외보안에 극도로 신경을 쓰고있는 사안임을 감안하여, 우리측에서도 대외 보안 (정보소스의 보호포함)이 철저히 지켜지도록 만반의 조치를 취해 주실것을 건의함. 끝

　　(대사 이시영-장관)

　　예고:1992.12.31 재분류

국기국　　장관

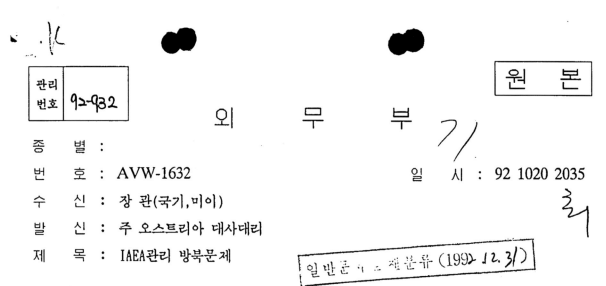

외 무 부

종 별 :

번 호 : AVW-1632   일 시 : 92 1020 2035

수 신 : 장 관(국기,미이)

발 신 : 주 오스트리아 대사대리

제 목 : IAEA관리 방북문제

일반문 ~ ~ 제분류 (1992. 12. 31)

연:AVW-1608,1597,1543

1.10.20(화)당지 미대표부 LAWRENCE 참사관및 IAEA 사무국관계관으로부터 각가 탐문한바에의하면 연호 IAEA 관리 방북계획은 제 4 차 임시사찰(AVW-1597 참조)이후 12 월 이사회개최 이전 적절한 시기에 이루어질것이라고함

2.IAEA 측으로서는 여사한 방북계획이 북한측의 자발적인 협조를 필수로하는 민감한 문제이기때문에 북한측의 경계심이나 거부반응을 유발하지 않도록 그 시기선택등 추진방법에 있어 매우 신중을 기하고있다함(특히 북한측에 IAEA 가 미국의 정보제공에의해 앞잡이 노릇을 하고있다는 인상을 주게될 경우 앞으로의 유사한 방문및 사찰협조에 미칠 영향등을 유의). 끝

(대사 대리-국장)

예고:1992.12.31 일반

국기국	장관	차관	미주국	구주국	분석관	정와대	안기부

0108

1. IAEA 高位人士 訪北計劃 관련(2)

10.21(今)

○ 10.20 IAEA 事務局 및 美代表部를 통해 探聞한 바에 의하면, 表題 IAEA 高位人士(3명)의 訪北은 제4차 査察團 訪問 (11.3-21)이후 12월 IAEA 理事會 開催이전의 적절한 시기에 이루어질 것이라 함.

- IAEA 側은 同 訪北 計劃이 北韓側의 自發的인 協調를 필수로 하는 敏感한 問題이기 때문에 北韓側의 警戒心이나 拒否反應을 誘發하지 않도록 訪北時期등 推進方法에 있어 매우 愼重을 기하고 있다고 함. (駐오스트리아大使 報告)

  * 同 訪北은 北韓이 IAEA에 申告하지 않은 2개의 核廢棄物 處理施設에 대한 北側의 申告를 誘導하기 위한 것임.

0109

외 무 부

종 별 :

번 호 : AVW-1689

일 시 : 92 1030 2100

관리
번호 92/646

수 신 : 장 관(연일, 연이, 국기, 정안, 사본:주유엔, 주제네바대사-중계필)

발 신 : 주 오스트리아 대사

제 목 : 뉴욕 출장보고

본직은 본부지시에따라 10.19-23 간. 뉴욕출장을 마치고 귀임했는바, 출장중 관찰, 건의사항을 아래보고함

1. IAEA 년차보고토의(총회 본회의 의제 14)

가. 토의경과(주유엔 대표부 관련 보고 참조)

나. 관찰

-블릭스 IAEA 사무총장은 그의 보고 연설속에서 북한 핵사찰 문제를 언급했는바, 북한과의 핵안전협정 발효및 세차례의 사찰등 진척이있었으나 아직도 사찰작업이 많이 남아있음을 지적하고, 특히 북한의 미신고 시설에대한 IAEA 관리의 방문 (VISIT) 초청사실에 주의를 환기시키면서 그러한 방문허용과 협조가 계속 이루어지도록 강조한것은 앞으로 IAEA 가 계획하고있는 방문팀 북한 파견과정에서북한의 협조를 계속 확보하기위하여 국제적 압력을 조성하려는 의도가 있었던 것으로 보임

-북한측은 작년 총회시 본 의제하에 따로 발언하지 않고 답변권만 행사했던예와는 달리 금번에는 발언을 하였는바, 동 발언내용은 예상했던 바와같이 북한이 IAEA 의 사찰을 받아 드림으로써 핵개발 의혹이 해소되었음을 강조하는 내용과, 남북 핵사찰 문제 불해결의 책임을 미국및 한국에 전가하는 동시 한미의 군사연습 계속 의사 표명을 비난하는데 중점을 두었으며(제 1 위 군축문제 기조 연설내용과 거의 동일)답변권 행사도 우리측 발언에대한 반박이 아니라 한. 미를비난하는 내용을 되풀이 하는데 불과하였음

-본의제 관련 결의안은 압도적 다수로 가결(찬 146, 반 0, 기권 5)되었는바, 동 초안 작성 과정에서 아국은 작년에따라 공동제안국으로 가담하였으며 동 표결 결과를 보면 이락의 핵개발 의혹과 불협조에 대한 서방측과 대다수 회원국들의 강경한 태도에는 변함없으나 일부 아랍및 아프리카 국가들은 분리 부표시 기권 내지

[1992 12.31 에 예고문에 의거 일반문서로 재 분류됨]

국기국   장관   차관   1차보   국기국   국기국   외정실   분석관   청와대
안기부   중계

결석함으써 결의안속에 이락을 지칭하는데 대한 불만을 표시하고있음이주목되었음

　다. 우리측 대응

　-우리측은 금번 본의제하 발언문 작성시 아래와 같은점을 고려하였음.

　. 종전 북한문제 일변도에서 탈피, IAEA 보고상 주요한 현안 본질문제에 대한 정부 입장을 밝히는 내용으로 범위를 확대

　. 북한 핵문제에 대하여는 아래점을 강조

　첫째:대북 3 회 사찰에도 불구 핵개발 의혹 전혀 불해소

　둘째:IAEA 사찰을 보완하기위해 남북 비핵선언 이행을 위한 상호 사찰 합의필요성 강조(상호주의및 강제사찰 원칙을 토대로)

　셋째:핵안전문제의 중요성을 부각시키면서 동북아에서의 지역적 협력에 북한이 참여할것과 북한 기존및 건설중인 원자로 안전 점검을 위한 IAEA 와의 자발적 협조 촉구

　-북한의 발언중 IAEA 보고서와 직접관련이 없는 부분에 대하여는 직접 이에대응치 않고 제 1 위등 적절한 기회에 북한 발언에 대한 종합적 대응(반박)을 하는 방향으로 대처

　이하 AVW-1690 으로 계속

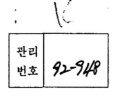

원 본

관리
번호 92-948

외 무 부

종 별 :

번 호 : AVW-1699

일 시 : 92 1102 1805

수 신 : 장 관(국기)

발 신 : 주 오스트리아 대사

제 목 : 제4차 사찰단 방북

연:AVW-1597

IAEA 측에 확인한바, 표제사찰단은 예정대로 11.1. 당지를 출발하였으며, 연호 일정에 따라 사찰을 수행하고 11.23. 당지 도착예정이라함을 보고함. 끝

(대사 이시영-국장)

예고:1992.12.31 일반

일반문서로 재분류(1992.12 3ㅣ)

국기국

0112

PAGE 1

* 원본수령부서 승인없이 복사 금지

92.11.03   05:26

외신 2과   통제관 FK

414   IAEA 대북한 핵시설 사찰 2

外務部 情報狀況室
受信日時 92. 11 . 3 . 10 : 30

'팀'훈련 재개시 IAEA핵사찰 불응 시사

北韓 2일 외교부 대변인 성명 발표

　(서울=聯合) 北韓은 2일 韓.美측의 "팀스피리트 훈련이 영원히 중지되고 어떤 핵위협이나 압력도 없어야 국제원자력기구(IAEA)의 핵사찰을 계속 받을 것"이라고 밝혀 팀스피리트 훈련과 연계, 국제원자력기구의 핵사찰에 불응할 수도 있음을 강력히 시사했다.

　내외통신에 따르면 북한은 이날 국제원자력기구 사찰단(단장 안전과장 빌리 타이스)의 平壤 도착과 때를 같이해 발표한 외교부 대변인 성명을 통해 북한이 핵안전협정에 서명하고 국제원자력기구의 핵사찰을 받게 된 것은 韓.美측이 단거리 핵무기 철폐(91.9) 및 핵부재(91.12)를 선언하고 올 팀스피리트 훈련을 중지하겠다고 밝혔기 때문이라고 상기시키면서 내년도 팀스피리트 훈련 재개 합의가 "미국이 우리에 대해 핵위협을 하지 않겠다고 한 궁약을 파괴하는 도발행위이며 핵담보협정 서명국인 우리에 대한 노골적인 위협공갈"이라고 주장했다.

　이 성명은 이어 핵사찰 문제가 그 어떤 입력이나 강권행위로써 해결될 문제가 아니라고 강조하면서 "만약 우리의 거듭된 경고에도 불구하고 팀스피리트 훈련을 재개한다면 우리의 핵담보협정 이행에 새로운 난관이 조성될 것"이라고 경고했다.(끝)

0113

	분류번호	보존기간

발 신 전 보

WAV-1610   921103 1827 FY

번   호 :   종별 :

WUS-4942   WJA-4680

수   신 : 주 오지리, 미·일 대사!//총영사!

발   신 : 장 관 (정특)

제   목 : 북한 외교부, T/S 훈련 관련 IAEA 핵사찰 거부 시사

1. 북한 외교부는 11.2(월) T/S 훈련이 중지되지 않을 경우, IAEA 핵사찰이 중단
될 수도 있음을 시사하는 아래 요지의 대변인 성명을 발표함.

- 아   래 -

ㅇ "T/S 훈련을 재개한다면 핵안전협정의 이행에 새로운 엄중한 난관이
조성될 것임"

ㅇ "T/S 훈련이 영원히 중지되고 어떠한 핵위협이나 압력이 없어야 IAEA
사찰이 원만히 진행될 수 있고 「합의서」와 「비핵화공동선언」도
성과적으로 이행될 수 있음"

2. IAEA 핵사찰은 IAEA 핵협정상의 의무로 T/S 훈련실시등과는 전혀 무관한
사항이나, 북측이 T/S 훈련을 IAEA 핵사찰과 연계시킬 가능성까지 시사하고
나온 것은 T/S 문제를 국제적으로 크게 부각시키고, 상호사찰 압력을
완화시키려는 저의가 있는 것으로 보임.

3. (주 오지리 대사관) 귀관은 적절한 기회에 상기 북측 태도와 관련 IAEA 의
주의를 환기시키기 바람. 북측이 제4차 임시사찰(11.3-21)을 성실히 수용
하지 않을 경우 12월 IAEA 차기 이사회에서 우방국과 협의, 동건을 제기하는
문제를 검토할 계획임을 참고바람.   끝.

(외정실장 이승곤)

예 고 : 92.12.31. 일반

보안동제

0114

종 별 :

번 호 : AVW-1706

일 시 : 92 1103 1900

수 신 : 장 관(국기,미이,정특)

발 신 : 주 오스트리아 대사

제 목 : T/S 훈련관련 북한 외교부 성명

대:WAV-1610

대호 북한 외교부 대변인 성명문(영문 번역)FAX 송부바람. 끝

(대사 이시영-국장)

국기국   미주국   외정실

0115

PAGE 1

92.11.04   05:49

* 원본수령부서 승인없이 복사 금지

외신 2과 통제관 FR.

IAEA(국제원자력기구)의 대북한 핵시설 사찰, 1992. 전6권 (V.6 9-12월) 417

외 무 부

종 별 : 지급

번 호 : AVW-1718   일 시 : 92 1104 1930

수 신 : 장 관(국기,정특,미이)

발 신 : 주 오스트리아 대사

제 목 : T/S 훈련관련 북한 외교부 성명

대:WAV-1610

1. 금 11.4. SANMUGANATHAN IAEA 의사국장에 의하면 당지 북한 대표부로부터 이사회 INFORMATION 문서 배포 문제를 협의하기 위한 면담 요청이 있어 명일 (11.5) 면담 예정이라는 바, 표제성명을 이사회 INFORMATION 문서로 배포하는 문제를 요청할 가능성이 농후한 것으로 추측됨. 관련동향 파악 추보위계임

2. 표제성명과 관련 본직은 금일 미국, 일본, 호주등 핵심우방국 대사들을 만나 북한의 최근 움직임과 우리의 입장을 설명하였으며, 계속 본건 진전을 주시하며 협의키로함

3. 또한 당관 조공사가 VILLAROS 사무총장 보좌관과 접촉, 북한 외교부 성명요지를 설명하였던바 동인은 북한측이 핵안전 조치 협정에 의한 의무 이행과 전혀 관계없는 사항을 이유로 IAEA 사찰 거부를 운운하는 것은 터무니없는 일이라는 반응을 보였음. 또한 동인은 현재 북한에 체류중인 사찰팀 으로부터는 이와 관련한 특별한 움직임에 관한 보고가 없었다고 하였음. 끝

(대사이시영-국장)

예고 :1992.12.31 일반

국기국	장관	차관	1차보	미주국	외정실	분석관	정와대	안기부

0116

92.11.05   05:40

외신 2과 통제관 CM

관리
번호 *92-956*

외 무 부

종   별 :

번   호 : AVW-1734   일   시 : 92 1106 1500

수   신 : 장 관(국기,구이,미이 정특)

발   신 : 주 오스트리아 대사

제   목 : IAEA 대북 사찰

　　작 11.5. 본직은 영국대사 송별 리셉숀에서 블릭스 IAEA 다무총장과 만나 의견 교환을 했는바 요지 아래 보고함

　　1. 동총장은 장관 오지리 공식방문기간중 공무로 출타하는 관계로 뵙지 못하게 된것을 유감으로 생각함을 장관께 전해주기 요망해옴

　　2. 동총장은 IAEA 의 금번 4 차 대북사찰에 진전이 있다는 ENCOURAGING 한 소식을 들었다고 하면서 사찰팀 귀임후 의견 교환키로함

　　3. 본직은 최근 T/S 등을 구실로 한 북한측의 선전공세, 특히 IAEA 사찰에 영향을 줄수 있는듯이 시사하고 있는것에 주의를 환기시키고, NPT 및 핵안전 협정상 의무 수행에 다시금 부당한 정치적 조건을 부치려하는 북한태도의 부당성과 정부 입장을 설명한바 동총장은 전적인 공감을 표시하였으며, 앞으로 북한의 동향을 예의 주시키로함. 끝

　　(대사 이시영-국장)

　　예고:1992.12.31 일반

　　　　　　　　　　　　　　　　일반순 대불류 (1992.12.3.)

국기국   장관   차관   1차보   미주국   구주국   외정실   분석관   정와대
안기부

공　　　란

공   란

공 란

공 란

공   란

공   란

공 란

공 란

공　　　란

공   란

공   란

관리 번호	9ㅗ-960

외 무 부

종 별 : 지 급

번 호 : AVW-1751　　　　　　　　일 시 : 92 1109 1920

수 신 : 장 관(국기,미이)

발 신 : 주 오스트리아 대사

제 목 : 북한 핵사찰 관련 국내 언론 보도

검 토 필 (1992 /ㅗ.3/)

일반문서ㄹ재분류 (199 3. 6. 3. 0)

대:WAVF-0252

연:AVW-1545,1608,1632

1. 당대표부는 그동안 북한 핵사찰 문제 당지 외교활동과 관련 IAEA 사무국및 당지 미국대표부로부터 철저한 대외보안 유지약속을 전제로 비공식 개별 채널을 통한 정보협조를 받아왔는 바, 연호로 보고한 미신고 시설조사를 위한 IAEA 고위 관리 방북계획 내용을 밝힌 11.9. 국내신문(동아, 세계, 서울) 보도는 당관이 연호 보고속에서 누누히 강조한 대외보안 철저 유지를 깨는 것으로써 <u>아래와 같은 악영향</u>이 심히 우려됨.

가. <u>북한이 앞으로 IAEA 사찰,</u> 특히 미신고 시설의 방문 시찰에 비협조적으로 나오거나 후자를 끝내 <u>거부하고 나올 구실을 제공</u>할 것이 우려됨.

(북한측으로 하여금 IAEA 사찰, 특히 방문시찰이 미국측의 정보제공이나 한국측과의 막후 합작에 의하여 조종되고있을지 모른다는 의구심을 갖게하여 강력한 항의나 방해책동을 유발할 가능성, AVW-1632 2 항 참조)

나. <u>IAEA 측이나 당지 미국측에 대하여 한국측의 보안유지 능력에 대한 신뢰감을 상실</u>하는 결과를 초래했으므로 앞으로 이들과의 정보협조가 크게 위축될 것이 우려됨.

(IAEA 측은 북한의 계속적인 사찰협조와 미신고시설 방문시찰의 점차 적 확대를 확보하기위해 그간 IAEA 가 미측과 정보협조를 하고있거나 관련 정보 를 한국측과도 나누고있다는 인상을 피하기위한 극도의 신중한 보안자세를 유지, 강조 해 왔음)

2. 상기와같이 금번 보도는 앞으로 IAEA 이사회등 대비 당대표부의 IAEA 북한 핵문제관련 외교및 정보활동에 상당한 부정적인 영향을 미칠것이 우려되는바, 동 보도가 정책적 고려에서 의도적으로 나온것이 아닌 이상, 앞으로 외교적 손 상을 극소화하고 유사한 사태가 재발치않기위한 강력한 조치가 필요할것으로 판 단되니,

국기국　　장관　　차관　　1차보　　미주국　　구주국　　분석관　　청와대　　안기부

0129

92.11.10　　18:04

외신 2과　통제관 BS

본건 경위와 대응방안에 관한 지침 지급 회시바람. 끝.

(대사 이시영-차관)

예고:1993.6.30 일반

0130

관리
번호 92-961

외 무 부

종   별 : 긴 급

번   호 : AVW-1756

일   시 : 92 1110 1330

수   신 : 장 관(국기,미이,사본:주미대사-본부 중계필)

발   신 : 주 오스트리아대사

제   목 : 북한핵사찰관련 국내 언론보도

정 보 (1992 12 31)

인비분서로 제분규(1993.6)0)

연:AVW-1751

1. 11.10(화)당지 미국대표부 LAWRENCE 참사관은 조창범공사에게 전화, 연호IAEA 관리 방북계획관련 국내언론보도 내용과 동일한 11.8 자 한국 방송보도 청취 내용 (별첨 FAX 참조)을 알려주면서 여사한 보도가 IAEA 를 매우 난처하고 어려운 입장 (VERY ACKWARD AND DIFFICULT)에 빠뜨리고 있다고 큰 우려를 표시하고 동보도가 한국 정부측으로 부터 LEAK 된 것으로 생각 된다면서 그경위와 이에 관한 한국측의 공식반응에 관해 문의 하였음

2. 또한 당지 일본대표부 SHINOTSUKA 참사관도 금일 아침 동경으로 부터 여사한 한국언론보도를 인용한 일본 언론보도가 있어 이를 확인하라는 훈령을 받았다면서 그 배경에 관해 문의하여 왔음

3. 한편 IAEA MEYER 공보담당관은 허남 과학관에게 별첨 11.9 자 일본 아사이 신문보도 (서울발 연합통신 인용)에 관해 아는바가 있느냐고 문의 하면서 이와 관련한 외부문의가 있어 사무총장실에 확인한 결과 그러한 사실이 없음을 설명 해준바 있다고 하였음

4. 상기와 같이 금번 사건은 당지에서 매우 민감하게 받아 들여지고 있으며 앞으로 IAEA 의 대북한 사찰활동 뿐만 아니라 당지에서의 한. 미간의 긴밀한 정보협조 관계와 미국및 핵심우방과의 IAEA 관련업무 협조에 있어 아국정부 및 당관의 신뢰도를 크게 손상시키는 결과를 초래하고 있는바 연호 본건 경위와 대응방안 (대미및 IAEA 설명자료등) 관련 본부지침 지급 회시바람. 끝

(대사 이시영-차관)

예고:1993.6.30 일반

첨부:AVWF-0315

국기국	장관	차관	1차보	미주국	분석관	정와대	안기부	중계

0131

PAGE 1

92.11.10   22:39

외신 2과 통제관 BZ

* 원본수령부서 승인없이 복사 금지

EMBASSY OF THE REPUBLIC OF KOREA

Praterstrasse 31. Vienna
Austria 1020 (FAX : 2163436)

No : AVW(Fr) - 0315	Date ·
To : 장 관 (국기. 미이. 사본:주미대사)	
(FAX No :)	
Subject : 첨부	

표지포함 3 매

0132

Total Number of Page :

UNITED STATES MISSION TO THE
UNITED NATIONS SYSTEM ORGANIZATIONS IN VIENNA

OBERSTEINERGASSE 11
A-1190 VIENNA, AUSTRIA
TELEPHONE 38 31 52

DATE: 10 November 1992

TO: Pierre Villaros - IAEA
             Libby Schick - Australia Perm Mission
             Dickson - UK Perm Mission
             Nam Ho - Republic of Korea Perm Mission
             Tamotsu Shinotsuka - Japan Perm Mission
             Peter McRae - Canada Perm Mission

FROM: Michael J. Lawrence

             1

Text of November 8 ROK radio report re: North Korea.

ROK: IAEA TO INSPECT UNREPORTED NORTH KOREAN NUCLEAR FACILITIES
SK0811034192 SEOUL KBS-1 RADIO NETWORK IN KOREAN 0308 GMT 8 NOV
92

[1m(TEXT)
    [TEXT] IT HAS BEEN LEARNED THAT UPON THE CONCLUSION OF THE ON-
GOING FOURTH AD HOC INSPECTION BY THE INTERNATIONAL ATOMIC ENERGY
AGENCY [IAEA], A HIGH-RANKING DELEGATION LED BY IAEA SECRETARY
GENERAL [VILLAROS] WOULD VISIT NORTH KOREA.
    A DIPLOMATIC SOURCE SAID: AS SOON AS THE AD HOC INSPECTIONS,
WHICH HAVE CONTINUED SINCE 3 NOVEMBER, ARE CONCLUDED ON 21 NOVEMBER,
AN IAEA DELEGATION WILL VISIT NORTH KOREA AND INSPECT TWO OF NORTH
KOREA'S UNREPORTED FACILITIES, INCLUDING A NUCLEAR WASTE PROCESSING
FACILITY.
    IT WAS ALSO LEARNED THAT EVEN THOUGH NORTH KOREA HINTED THAT IT
WOULD REJECT THE IAEA'S INSPECTIONS ON THE GROUND OF THE DECISION BY
THE ROK AND THE UNITED STATES TO RESUME THE TEAM SPIRIT JOINT
EXERCISE, NORTH KOREA HAD BEEN COOPERATING WITH THE IAEA TEAM FOR
THE AD HOC INSPECTIONS AS IT HAD DONE IN THE PREVIOUS INSPECTIONS.
08 NOV 0346Z AM
NNNN

0133

0315 -1

地球の24時

米、政権移行責任者を指名

【ワシントン7日＝アメリカ総局】米ホワイトハウスは7日、ブッシュ大統領が、現政権側で政権移行を担当する責任者にカード運輸長官を任命したと発表した。フィッツウォーター報道官によると、同長官は米側、クリントン次期大統領側の代表者と会合する。このほか、ベーカー首席補佐官も、11日にクリントン氏の政権移行委員会のジョーダン事務局長と会う。

「北」の米申告核施設視察へ

【ソウル支局8日】韓国の聯合通信によると、国際原子力機関（IAEA）は現在行われている朝鮮民主主義人民共和国（北朝鮮）での第4回特定査察が終わり次第、ブリクスIAEA事務局長を団長とした代表団が北朝鮮を訪問し、米申告の核廃棄物再処理施設など2カ所を視察する、と韓国内の外交消息筋の話として、8日報じた。

「貿易産業相が辞意」と英紙

【ロンドン8日＝ヨーロッパ総局】8日付の英サンデー・エクスプレス紙は英政府首脳筋の話として、ヘーゼルタイン貿易産業相がこのほどメージャー首相に辞意を表明した、と伝えた。同紙によるとヘーゼルタイン氏は、ポンド通貨危機が表面化したのち、経済政策や欧州連合条約（マーストリヒト条約）をめぐる政府の方針が二転、三転していることを批判。英石炭社の閉山問題で党内右派から激しい突き上げを受けたことなどもあって、「もうやっていけない」と首相にもらしたという。

アブハジア紛争死者413人

【モスクワ7日＝AFP時事】イタル・タス通信がグルジア・アブハジア自治共和国保健省当局者の話として7日伝えたところによると、グルジア政府軍とアブハジアの分離独立勢力との戦闘で、8月中旬以降、413人が死亡、1534人が負傷した。

カラバフで戦闘、70人死亡

アルバニア人 警官隊と衝突 マケドニアで死傷者

【ベオグラード支局8日】マケドニア共和国の首都スコピエからの情報によると、6日夜、同市の中心部でアルバニア人住民と警官隊が衝突し四人が死亡、約三十人が負傷した。マケドニアでの衝突事件は昨年九月に独立を宣言して以来初めて。

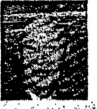

「プラハの春」指導者 ドブチェク氏死去

【プラハ支局8日】「人間の顔をした社会主義」を目指して六八年の「プラハの春」の先頭に立ったアレクサンデル・ドブチェク氏（70）が七日夜、プラハの入院先で死去した。九月一日の自動車事故で頭部などを負傷して治療を受けていた。

六八年一月に同年就任後。自分を三九年にチェコスロバキア共産党に入党。"六八年一月に同国第一書記になり、集会・結社の自由を認めるなど民主化に取り組んだ。

同年八月、ワルシャワ条約機構軍の介入で「プラハの春」がつぶされ、六九年四月に共産党第一書記を解任され、七〇年には党を追放された。その後、スロバキアの林業企業に勤め、八五年に年金生活に入ったが、八九年十一月の革命で政治に復帰。ハベル氏（自由化後チェコスロバキア共産党の過激だった一人で、自らも三九年にチェコスロバキア共産党に入党。"六八年一月に同国第一書記になり、集会・結社の自由を認めるなど民主化に取り組んだ。

同年八月、ワルシャワ条約機構軍の介入で「プラハの春」がつぶされ、六九年四月に共産党第一書記を解任され、七〇年には党を追放された。一九二一年十一月二十七日、西スロバキアで生まれ。

ロシアからトルコへ

ベルリンでのデモを前に収容所があったダッハウ...

관리 번호	92-962	

원 본

외 무 부

종 별 :

번 호 : AVW-1757
일 시 : 92 1110 1610

수 신 : 장 관 (국기, 미이, 정특)

발 신 : 주 오스트리아 대사

제 목 : 제4차 대북한 IAEA 임시사찰

연: AVW-1699,1597

1. 금 11.10. IAEA 관계관에 의하면 제 4 차 임시사찰단은 11.14. 평양출발, 11.15(일) 당지 도착예정이라 함.

2. 금번 4 차 사찰단의 사찰기간이 2 주간이 될것이라는 첩보도 있었으므로금번 귀환이 당초 예정보다 당겨질 것인지 여부등 관련사항은 계속 확인 추보하겠음. 끝

(대사 이시영 - 국장)

예고: 1992.12.31 일반

국기국	차관	1차보	아주국	미주국	외정실	분석관	청와대	안기부

0135

PAGE 1

* 원본수령부서 승인없이 복사 금지

92.11.11 00:29

외신 2과 통제관 DI

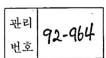

WEC-08 U   921111 1936 FN

관리 번호	92-964

분류번호	보존기간

발 신 전 보

번   호 : WAV-1653   921111 1715 EI 종별 : 긴급

WUS -5063

수   신 : 주 오스트리아   대사. 총영사 (사본:주미대사)

발   신 : 장 관 (국기)   수신:장관 (주EC대사 경유)

제   목 : 북한핵 사찰 관련 국내언론보도

연 : WAVF 0252

대 : AVW-1751,1756, USW-5508

1. 연합통신이 11.8(일) IAEA 관리 방북계획에 대해 연호 보도하고, 11.9(월)
   세계,서울, 동아가 동기사를 전재 보도한 바, 연통의 보도경위는 ~~파악되지~~ 아직 확인되지
   ~~못하고~~ 않고 있음.

2. 연통의 보도는 우리정부측의 의도적인 leak 에 따른것이 아니며, 우리는
   북한 핵문제 해결에 있어 IAEA 역활의 중요성을 감안, IAEA와 계속 긴밀히
   협조해나가며 이번과 같은 보도가 없도록 필요조치를 강구할 것임을 설명
   바람. 끝.

일반문서로 재분류 (1992.12.31)

예 고 : 92. 12. 31. 일반

(장 관 대 리)

비공개장:

앙 고 재	92 년 11 월 11 일	3 기 과	기안자 성명		과 장	심의관	국 장	차관보	차 관	장.관		보 안 통 제	B
									전결			외신과통제	

0136

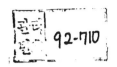
92-710

외 무 부

110-760 서울 종로구 세종로 77번지 / (02)720-2336 / (02)720-2686

문서번호 국기 ZO33Z- 2837

시행일자 1992.11.12.(   )

취급		장 관
보존		
국장	전결	
심의관		
과장		
기안	최연호	협조

수신 과기처 장관

참조

제목 북한원자로 안전문제 대책

관련 : AVW-1566

위 관련 북한원자로 안전문제에 대한 귀부 의견을 조속 송부하여 주시기

바랍니다.

외 무 부 장 관

0137

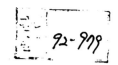

과 학 기 술 처

우 427-760 경기 과천 중앙 1, 정부 제2종합청사내 / (02)503-7651 / FAX (02)503-7673

문서번호 원협 16225-64

시행일자 1992. 11. 19

(경유)

수신 외무부장관

참조 국제기구국장

선결			지시	회
접수	일자시간	Pr c 11. 20	결재·공람	
	번호	475		
	처리과			
	담당자			

제목 북한의 원자로 안전성 분석 회신

      1. 관련 : AVW-1566 ('92. 10. 9)

      2. 위호와 관련, 북한의 원자로 안전성 분석과 대응방안에 대한 당처의견을
별첨과 같이 회신합니다.

첨부 : 북한의 원자로 안전성 분석과 대응방안 1부.   끝.

            ((예고문 : '95. 12. 31 까지))

            검 토 필 (1992 / 2 / 3)

            검 토 필 (1993. 6. 30)

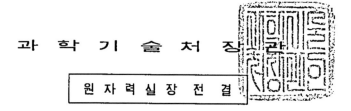

과 학 기 술 처 장 관

원 자 력 실 장 전 결

0138

공   란

공 란

공   란

공   란

공   란

공　　　란

공　　　란

공   란

공 　 　 란

공 란

외 무 부

종 별 :

번 호 : USW-5692 　　　　　　　　　 일 시 : 92 1120 2207

수 신 : 장 관(배포처통제 (미이),국기,미일) 사본: 주오스트리아 대사(중계필)

발 신 : 주 미 대사

제 목 : 북한 핵사찰

　　1. 금 11.20. 당관 박흥신 서기관이 미국무부 QUINONES 북한담당관에게 확인한 바에 의하면, IAEA 는 북한에 대한 차기 사찰대상 선정과 관련 미측의 협조를 요청해 왔으며, 이에따라 미측은 국무부 정보 조사국 BOB CARLIN 동북아 과장과 CIA 관계관 1 명을 11.18-20 간 비엔나에 파견했다함.

　　2. 11.23(월) CARLIN 과장과 접촉후 결과 추보 예정임. 끝.

　　(대사 현홍주 - 국 장)

　　예고 : 93. 6.30. 일반
　　　19. . . 예 예고문에
　　의거 일반문서로 재분 됨

0149

92.11.21　　17:02

외신 2과 통제관

공 란

공   란

공   란

공 란

공   란

외 무 부

종   별 : 지 급

번   호 : AVW-1839   일   시 : 92 1125 1920

수   신 : 장 관 (국기, 미이, 배포처통제)

발   신 : 주 오스트리아 대사

제   목 : 북한 원자력공업부장 방문및 IAEA 이사회 북한대표단

연: AVW-1826

11.28 - 12.1

1. 연호관련 IAEA 및 주재국외무성 관계관으로부터 추가확인한바 최학근 원자력공업부장은 11.27(금) - 12.5 간 당지방문 계획이라하며 비자신청시 방문목적은 BLIX 사무총장과 면담하기 위한 것이라고 함

IAEA 측은 당지 북한대표부로부터 최학근이 11.27. 모스크바 주재 오스트리아 대사관에서 비자 (체류기간 11.27 - 12.5)를 받을수 있도록 주선하여 줄 것을요청하는 공한 (11.24)을 받았다하며 이에따라 주재국 외무성은, 최학근에 대해11.27 부터 10 일간의 비자를 발급토록 모스크바 대사관에 11.25 훈령하였다고함

2. 또한 북한은 IAEA 12 월 이사회에 하기 대표단을 파견할 예정임을 IAEA측에 통보, 비자발급협조 요청하였으며, 주재국 외무성은 동 대표단에 대해 11.29부터 10 일간의 비자를 발급토록 모스크바에 훈령했다함

- 오창림 외교부 순회대사
- 박영남 원자력공업부 참사관 (COUNSELLOR)
- 허일록 외교부 연구원
- 정송일 외교부 직원

3. 북한 최학근은 11.30(월) BLIX 사무총장과 면담예정인 것으로 파악되고 있으며 이와별도로 12.1 경 북한측과 IAEA 실무진간 회담이 있을 예정이라함

4. IAEA 및 당지 미대표부측에 의하면 IAEA 측은 11.16 북한측에 대해 IAEA고위관리 방문단 (ELBARADEI 섭외국장, VILLAROS 사무총장 특별보좌관, 안전조치부 사찰관 HANONEN 으로 구성, 미신고 시설등 시찰목적)의 북한방문을 공식요청한바 있으나 북한측은 상기 북한측인사들의 IAEA 방문계획등을 들면서 오히려 비엔나에서 우선 양측간의 협의를 가질것을 제의하여 왔으며 이에따라 동 고위관리

국기국   장관   차관   미주국   분석관

0155

PAGE 1

* 원본수령부서 승인없이 복사 금지

92.11.26   05:32

외신 2과 통제관 DI

방북계획은 일단 유보되었다고 함. 끝

(대사 이시영-국장)

예고: 1993.6.30 일반

2. IAEA.北韓關係

ㅇ 11.25 IAEA側으로부터 確認한 바에 의하면 최학근 北韓
原子力 工業部長이 11.27-12.5간 IAEA를 訪問할 예정이라함.

- 최部長은 11.30 블릭스總長과 面談 예정이며, 12.1경에는
IAEA 實務陣과 北韓間의 會談이 있을 것임.

- 北韓側은 IAEA 12월 理事會에 오창림 外交部 巡廻大使를
團長으로 하는 代表團을 派遣할 예정임을 通報함.

ㅇ 한편, IAEA가 推進하고 있는 北韓의 未申告 施設에 대한
IAEA 高位官吏 訪問計劃과 관련, 北韓側은 상기 北側
人士들의 IAEA 訪問豫定을 언급하면서 비엔나에서 우선
兩側間 協議를 가질 것을 提議함으로써, 同 訪問計劃은
일단 留保됨.   (駐오스트리아大使 報告)

0157

종 별 :

번 호 : AVW-1858

일 시 : 92 1127 1900

수 신 : 장 관 (국기, 미이, 배포처통제)

발 신 : 주 오스트리아 대사

제 목 : 북한 원자력공업부장 방문

연: AVW-1839

연호 최학근 북한 원자력공업부장은 금 11.27.18:00 현재 당지에 도착하지 않은 것으로 보이며, 또한 IAEA 사무국에 탐문한바, 내주 월요일로 예정하고있는동인의 BLIX 사무총장 면담및 북한 IAEA 실무급 회의(12.1 예정)의 시간도 아직확정되지 않은 상태라고함. 끝

(대사 이시영 - 국장)

예고:1992.12.31 일반

일반　　　　'92. 12.31

국기국　　　장관　　　차관　　　미주국　　　분석관

0158

PAGE 1

92.11.28　　04:48

* 원본수령부서 승인없이 복사 금지

외신 2과　통제관 DI

외 무 부

종 별 :

번 호 : AVW-1872   일 시 : 92 1201 1600

수 신 : 장 관 (국기,미이,정특,외연원,과기처)

발 신 : 주 오지리 대사

제 목 : 북한 핵관계 자료

　　11.27. IAEA DAILY PRESS REVIEW 에 게재된 미국의THE BULLETIN OF THE ATOMIC SCIENTISTS 지 11월호 북한핵관계 기사(NORTH KOREA'S PULUTONIUM PUZZLE) 를별전 FAX 송부함.

　　첨부:상기 FAX(AVW(F)-0330). 끝.

　　(대사 이시영-국장)

국기국　　미주국　　외연원　　외정실　　과기처

0159

외신 1과　통제관 ✓

EMBASSY OF THE REPUBLIC OF KOREA
Praterstrasse 31, Vienna
Austria 1020 (FAX : 2163438)

No : **AVW(Fr)-0330** | Date : 2/201 _1600_

To : 장 관(차기, 미이, 정특, 외연원, 과기처)

(FAX No :)

Subject : AVW-1872   첨부

표지포함 6 매

0160

<u>Total Number of Page :</u>

NORTH KOREA'S PLUTONIUM PUZZLE

233/9

The Bulletin of the Atomic Scientists

Nov. 1992

By DAVID ALBRIGHT and MARK HIBBS

Even after an IAEA inspection, questions remain
about North Korea's nuclear plans. And the country's
new-but-outmoded reactors pose a troubling waste problem.

0161

When North Korea signed a joint declaration with South Korea on December 31, 1991, it agreed that it would not separate plutonium in a nuclear reprocessing plant. But the spent fuel from North Korea's 1950s-style nuclear-power reactors could eventually require separation for safety reasons. If it proceeds with its current reactor-building plans and finishes a reprocessing plant at Yongbyon, about 60 miles north of Pyongyang, North Korea could, by the mid- to late 1990s, be separating over 200 kilograms of plutonium a year.

That plutonium could simply add to the world's glut of an element that no one knows quite what to do with. Or it could be used to make nuclear weapons. In either case, verifying that North Korea is not diverting enough plutonium to build a weapon could become increasingly difficult.

North Korea's reactors, which are cooled by gas and moderated by graphite, discharge irradiated spent fuel that is difficult to store safely

David Albright, a Bulletin contributing editor, is a senior scientist at Friends of the Earth in Washington, D.C. Mark Hibbs is European editor of Nuclear Fuel *and* Nucleonics Week *in Bonn, Germany.*

for an extended period or to dispose of in a geological repository. Britain, France, and Japan routinely reprocess fuel from this type of reactor and recover the plutonium. These countries maintain that reprocessing the spent fuel is mandatory. Unless steps are taken now to insure that North Korea demonstrates a plan to dispose of the fuel from these reactors without processing, North Korea may be able to justify reprocessing later on—arguing, as other nations do, that long-term storage is unsafe.

Ambiguity

According to a U.S. government official, North Korean officials have been "ambiguous about what they intend to do with" their unfinished reprocessing plant. In September, North Korea's ambassador-at-large, Rim O. Chang, refused to answer Vienna journalists' questions about the status of the reprocessing facility, and whether or not the plant was being test-operated. The official said it was "under construction," but refused to elaborate.

At the same time, North Korean leaders are pulling back from their year-old agreement with South Korea. In addition to banning both reprocessing and uranium enrichment plants, the joint declaration called for mutual bilateral inspections of nuclear facilities.

Immediately after the agreement was signed, the U.S. and other Western governments praised th Joint declaration as a confidence-building measure that could eliminate explosive nuclear materials in the Koreas, leading to a nuclear-weapons-free zone in a key region of tension.

But during 1992, concerns have resurfaced. The United States and Japan—which have pressed North Korea to allow the International Atomic Energy Agency (IAEA) to initiate inspections since North Korea signed the Nuclear Non-Proliferation Treaty (NPT) in 1985—continue to strongly favor both bilateral inspections and no reprocessing. In the view of both countries, this arrangement would supplement routine IAEA safeguards and more easily facilitate challenge inspections at sites not declared to the IAEA.

Meanwhile, at IAEA headquarters in Vienna, officials are cool to the idea of North-South inspections. The IAEA's critics assert that the agency is merely protecting its own turf. But IAEA officials say that a poorly managed bilateral inspection regime, conducted without rigor or solid technical information, might come to be regarded—incorrectly—as a substitute for IAEA safeguards.

The IAEA's unofficial position on the matter has been taken up by Pyongyang, which now

Early morning, Pyongyang, North Korea. Isolated and independent, North Korea rejected the offer of Russian nuclear reactors, choosing instead

North Korea is pulling back from an agreement with the South that called for mutual bilateral inspections.

0330-2

0162

The "wrong" type of reactors produce waste that is unstable.

claims that the IAEA's routine inspections should render superfluous its pledge to allow the South to hold inspections.

Meanwhile, some Western governments are beginning to reconsider the requirement that the Koreas pledge not to reprocess spent fuel. One senior Bonn official—reflecting a long tradition of German eagerness to sell nuclear technology to developing countries—said his government found the ban on reprocessing and enrichment activities "problematic." The official noted that in Bonn's view, "Both uranium enrichment and plutonium [separation and] recycling are legitimate civil nuclear activities. It should suffice to put any such facilities [in both Koreas] under IAEA safeguards."

That position is certainly at odds with the Japanese viewpoint. In a statement issued early this year, the Japanese government asserted that if Pyongyang completed a plutonium separation facility—even if operated under IAEA safeguards—Tokyo would not go through with its plan to award North Korea financial compensation related to the Japanese occupation of Korea during World War II. Japan had earlier said that if the North accepted IAEA safeguards on all nuclear activities, it would receive financial support. But Japan now wants Pyongyang to scuttle the reprocessing plant and to reaffirm its commitment to South Korea not to reprocess nuclear fuel.

What is known

Recent revelations about North Korea's nuclear program are a result of IAEA visits to establish safeguards on the North's nuclear program. The safeguards are required to verify North Korea's compliance with the NPT. Although Pyongyang signed the treaty in 1985, it did not allow inspectors in until early this year.

On a pre-inspection visit in May, senior IAEA officials were told that the North wants to separate plutonium in a large reprocessing plant under construction at a research center near Yongbyon. North Korean officials argue that the plutonium will be needed to fuel future fast-breeder reactors. But breeder-reactor development is stalled worldwide, and the prospect for breeders in North Korea is not very credible. In the West, the few breeders that exist may be converted to "burners" to help dispose of unwanted plutonium, not to produce more.

North Korea's reason for choosing gas-graphite reactors to produce electricity remains a mystery, highlighting concern that the North has a nuclear weapons program. North Korean officials told the IAEA in May that they chose to build gas-graphite reactors because they could develop them without foreign assistance. Officials told the IAEA that they

did not want to import light-water reactors (LWRs)—the dominant type of civilian power reactor—because they were worried about obtaining reliable supplies of fuel and spare reactor components. But the gas-graphite models, developed in the 1950s, lack many of the safety and economy features of LWRs. It is true that LWRs, which cannot easily be used to make high quality plutonium for weapons, would require a supply of enriched uranium fuel. On the other hand, gas-graphite reactors can be relatively easily operated to produce weapon-grade plutonium.

If the North wanted only to produce electricity, it could have acquired larger, more modern reactors from the former Soviet Union by implementing the NPT. The Soviet Union has been prepared to supply the North with LWRs since the early 1980s. In the mid-1980s, as suspicions mounted about the North's nuclear program, the Soviets tied the supply of these reactors first to the North signing the NPT, and then to fulfilling its obligations to permit full IAEA inspections.

During their visit in May, inspectors toured an experimental 5-megawatt gas-graphite reactor, two larger gas-graphite reactors under construction, and a large reprocessing plant.

The experimental reactor is at Yongbyon. It has been in operation since 1985 or 1986, although it experienced start-up problems. As a result, it has not produced as much plutonium as it could have—as much as 4 to 7 kilograms a year.

North Korea says the original fuel core is still in the reactor and will not be changed until early next year. The IAEA has been unable to verify this statement and must wait until the fuel is unloaded in early 1993 to do so. Some observers believe that North Korea may have irradiated and discharged several loads, but no evidence to substantiate their belief has emerged.

A larger, 50-megawatt reactor under construction at Yongbyon is scheduled for completion in 1995. It could produce about 40 to 60 kilograms of weapon-grade plutonium a year, depending on its operating characteristics. A 200-megawatt reactor of the same design is under construction at Taechon, located 60 miles north of Pyongyang, and it is expected to be completed in 1996. The reactor at Taechon could produce between 160 and 200 kilograms of plutonium a year, which would give the North a total weapon-grade plutonium production capability of about 200 to 260 kilograms a year.

Before the plutonium could be used in a nuclear weapon or a breeder reactor, however, it would have to be chemically separated from the spent fuel. The reprocessing plant under construction at Yongbyon is sizable—180 meters long and six stories high. U.S. officials estimate that this facility could process up to several hundred tons of spent fuel a year when fully operational, and that it could handle all the spent fuel from the three reactors. (See December 1991 *Bulletin*.) Although North Korea has called the plant a "radiochemical laboratory," on July 22, IAEA Director General Hans Blix told the U.S. House Committee on Foreign Affairs that the IAEA "would not have any hesitation" in calling it "a reprocessing plant in the terminology of the industrialized world."

The IAEA has reported that about 80 percent of the construction work is complete, but only about 40 percent of the equipment is installed. North Korean officials told the IAEA that the rest of the equipment has been ordered. Nuclear experts have estimated that the plant could be finished in 4 to 5 years at a cost of several hundred million dollars.

In March 1990, the North declared that the reprocessing plant had separated gram quantities of plutonium from damaged fuel elements irradiated in the 5-megawatt reactor. An IAEA official said that the plant could be used now to reprocess more irradiated fuel, but any such activity would likely be easily detected, since the plant is a key target of IAEA inspections.

Blix also told the House committee that the North did "experiments quite a number of years ago in which they identified plutonium, and that between that and the construction of this plant there was no pilot plant." U.S. officials say the North's early lab-scale plutonium separation was done in "hot cells"—lead-shielded rooms with remote handling equipment for examining and processing radioactive materials. The hot cells are located in the capital, Pyongyang, and were supplied by the Soviet Union during the 1960s or 1970s as part of a deal to supply a research reactor. According to one U.S. official, the North said it separated only minute quantities of plutonium. But, he added, if North Korea separated plutonium that long ago, then it is reasonable to assume that Pyongyang has separated more, particularly since it decided to build a large plant.

IAEA and U.S. officials also questioned North Korea's claim that it scaled up from laboratory experiments to an industrial-scale plant without building a pilot plant. North Korea told the IAEA that it has often followed such a course of action in its industrial development. Although Western officials believe that North Korea could have jumped from hot cells to full-scale production, an investigation continues into the developmental history of North Korea's reprocessing program.

A convenient excuse

Whatever the status of the North's commit-

ment not to separate plutonium, its gas-graphite reactors will discharge spent fuel that contains unused uranium, plutonium, and a high concentration of unwanted radioactive byproducts. Managing this irradiated fuel could pose a direct challenge to efforts to get Pyongyang to forgo reprocessing. Lack of action now could provide an excuse later for the North to revive its reprocessing program.

IAEA and U.S. officials describe the fuel to be used in the North Korean reactors as similar to the type used in British, French, and Japanese gas-graphite power reactors. These countries maintain that the spent fuel is not suitable for long-term storage and thus requires reprocessing.

This fuel has an outer casing of magnesium oxide with small amounts of zirconium. This "magnox" casing, or "cladding," breaks down when stored in water or exposed to moisture, eventually exposing the uranium metal core to air. This allows radioactive material to escape, and it causes oxidation or "rusting" of the uranium fuel. When exposed to air, the uranium metal can spontaneously ignite. If the fuel burns, a significant fraction of the radioactive materials can be released into the environment.

In contrast, most civilian nuclear fuel can be stored safely in water and requires no reprocessing. The fuel for LWRs is uranium oxide coated with a zirconium alloy that is highly resistant to corrosion. Zirconium-clad oxide fuel can be stored indefinitely in water, and the uranium oxide will not burn even if it is exposed to air. This type of fuel is scheduled for disposal in the geological repositories being planned around the world.

Although magnesium-clad fuel is unstable, there are several ways to avoid or to significantly delay a decision to reprocess the fuel. Long-term storage of the gas-graphite fuel in specially protected, gas-filled metal casks is a possibility, but the presence of moisture in almost all gases will eventually cause problems. How long dry storage is practical is difficult to determine, but cask storage might be acceptable for a few decades. Britain stores some of its fuel in dry stores, although not for long periods. Since the British and French prefer to reprocess their gas-graphite fuel, they have not precisely determined how long the irradiated fuel can be safely stored. According to one British nuclear official, the fuel can be safely stored for at least 10 years.

Another possibility would be to encapsulate all the irradiated fuel in thick metal canisters designed to last for tens of thousands of years. This alternative, however, would be very expensive once the North begins operating its larger reactors, which will discharge large

North Korea separated some plutonium in the 1970s, but claims it has not separated any more.

0330-*k*

0164

Both North and South Korea may want to use Japanese plutonium separation plans as a rationale for their own programs.

quantities of used fuel. Each year, a 200-megawatt gas-graphite reactor, optimized to produce electricity, discharges roughly 50 metric tons of spent fuel. Much more fuel would be discharged if the reactors were dedicated to producing weapon-grade plutonium. In contrast, a light-water reactor of similar size, dedicated to producing electricity, discharges only about 5 metric tons of fuel a year.

Transport of the spent fuel from North Korea to either Britain or France for reprocessing or storage is another option. The separated plutonium could be kept there, and the North could be given credit for the recovered plutonium. Britain already reprocesses irradiated fuel from a Japanese gas-graphite reactor, which is about the same size as the largest planned North Korean reactor. (The plutonium from the Japanese reactor is returned to Japan.) Whether any country would be willing to accept North Korean spent fuel, however, is uncertain.

All of these options would leave the reactors operating, discharging plutonium-bearing fuel, and keep open the risk that a future unstable North Korean government might decide to separate the plutonium to build weapons under the cloak of safety concerns. As a result, a more compelling option might be to press North Korea to close down its gas-graphite power reactors. These reactors are being phased out in the West, partly because they lack the most modern safety features and because the fuel requires reprocessing. The plutonium is no longer required for civilian applications, and its production is expensive and environmentally polluting.

Last winter, Pyongyang hinted that it would trade away its reprocessing plant and perhaps its gas-graphite reactors for light-water reactors. But this offer has no takers: The North cannot afford the new reactors and no one is willing to supply them for free.

Reprocessing in Japan

Complicating any effort to convince North Korea not to reprocess is Japan's expansive plutonium separation activities. Until now, Japan's program has been limited to its pilot plant in Tokai, and to contracts for separation of several tons of Japanese plutonium in Britain and France. But Japan will be amassing substantial quantities of separated plutonium within the next 10 to 20 years, when it finishes the Rokkasho separation plant and when tens of tons of separated plutonium start to return from Britain and France. According to one West European diplomat, Japan needed "IAEA safeguards to legitimize its plutonium recycling program, but clearly had no faith that safeguards would work to prevent North

Korea from using its plutonium to make bombs."

North Korean officials pointedly question Japan's double standard in rules for plutonium use. At the 1992 IAEA General Conference, representatives from Pyongyang asserted that Japan's plutonium program is too large to be explained on the basis of civil plutonium needs alone.

The Japanese position also poses problems for South Korea. Its emerging plutonium separation ambitions were shut down in the mid-1970s under U.S. pressure. Since then the United States has tacitly approved Japan's expanding plutonium industry, and South Korea may see little value in keeping its half of the agreement with the North, particularly if North Korea reprocesses. When South Korea made the commitment not to separate plutonium, Seoul nonetheless kept open its option to reprocess safeguarded irradiated reactor fuel in a nuclear fuel-cycle agreement it signed with Britain's Department of Energy last December.

Ending temptation

After taking positive steps to put its nuclear activities under international safeguards and to defuse suspicions in the South, Pyongyang has created another smokescreen about the future of its reprocessing program. Unless Pyongyang reiterates that it will abide by its no-reprocessing commitment, negative feedback among the two Koreas and Japan could lead to a horizontal expansion of reprocessing programs in a region of tension.

As long as Japan is determined to separate tens of tons of civil plutonium during the next two decades, the temptation to reprocess on the Korean peninsula will grow. If North Korea goes ahead with its reprocessing program, South Korea is likely to follow.

Since the United States has approved Japanese plans, both Pyongyang and Seoul might expect Washington to approve reprocessing in their countries, too. As long as Japan is not willing to abandon spent-fuel reprocessing, the only way to resolve the contradiction of Japan's double standard on plutonium would be to allow North Korea to reprocess under IAEA safeguards. That, however, would violate Pyongyang's accord with South Korea and lead to a deterioration of security in eastern Asia.

North Korea should provide the IAEA with a detailed plan for disposing of its spent fuel without reprocessing, and it should be encouraged to abandon its gas-graphite reactor program in the absence of such a plan. Western governments should not give Pyongyang a rationale for reprocessing. ⬜

0330-5

7

0165

北국제核사찰 계속 수용

IAEA 北대표 "팀스피리트 연계안해"

【빈=聯】北韓은 「팀스피리트」韓美합동군사훈련과 관계없이 북한에 대한 국제원자력기구(IAEA) 핵사찰을 계속 받아들일 것이라고 IAEA에 북한대표로 참석한 吳昌林외교부대사가 4일 밝혔다.

吳대사는 이날 북한은 앞으로도 IAEA와 협조, 정기적으로 사찰을 받을 것이며 IAEA 안전협정상의 의무를 충실히 이행하겠다고 약속했다.

吳대사는 지난 11월 발표된 북한 외교부의 팀스피리트 관계 성명에 대해 이는 「팀스피리트 훈련에 대한 우리의 기본입장을 밝힌 것일 뿐」이라고 해명했다.

- 중앙일보 1992. 12. 5. (토)-

0166

원 본

외 무 부

종 별 :

번 호 : AVW-1904   일 시 : 92 1204 1930

수 신 : 장 관 (국기,미이,정특,과기처,기정)

발 신 : 주 오스트리아 대사

제 목 : 대북 제 5 차 사찰단 방북

연 : AVW-1840

당관이 파악한바에 의하면 표제 사찰단은 THEIS 과장을 단장으로 총 4 명이 92.12.14-19. 까지 방북예정이며 제 6 차는 93.1 월중 방북할 것이라 함을 보고함. 끝.

(대사 이시영-국장)

예고 : 93.6.30. 일반

| 일반 | 93.6.30. |

1. IAEA의 對北 核査察 日程

o IAEA側으로부터 確認한 바에 의하면, 제5차 對北査察團
  4명이 12.14-19간 訪北 예정이며, 제6차 査察團은
  93.1월중 訪北할 것이라 함.   (駐오지리大使 報告)

0168

외 무 부

종   별 :

번   호 : AVW-1937   일   시 : 92 1210 1730

수   신 : 장 관(국기)

발   신 : 주 오스트리아 대사

제   목 : IAEA대북한 사찰

대:WAV-1818

1. 대호관련 12.10(목) IAEA 관계관으로부터 입수한 내용을 아래 보고함

가.7 FACILITIES:

1)RESEARCH REACTOR

2)CRITICAL FACILITY OF THE INSTITUTE OF NUCLEAR PHYSICS

3)SUB-CRITICAL   FACILITY   OF   THEO(035)(228)등(437)접촉만당지(328)UNG UNIV2RSITY IN PYONGYANG

4)NUCLEAR FUEL ROD FABRICATION PLANT IN NYONGBYON

5)FUEL STORAGE IN NYONGBYON

6)EXPERIMENTAL   NUCLEAR   POWER   REACTOR(5   MW)   OF   THE   INSTITUTE   OF NUCLEARPHYSICS IN NYONGBYON

7)RADIOCHEMICAL LABORATORY

나.2 LOCATIONS:

평양북방소재 병원 또는 실험실등에서 연구목적으로 사용하고있는 방사성 동위원소 (PU-238, SR-90)가 위치해있는 2 개소를 의미함.(실제로는 약 40 개소가 된다고 함)

다.2 SITES:

기보고한 바와 같이 3 차 임시사찰 직후 IAEA 관리의 방문 대상 미신고지역을 의미하여 그중 1 개 SITE 는 소위 군사지역내에 소재한 폐기물 관리시설로 추정함. (상기 2 개소에 대한 구체적 정보는 철저한 보안을 유지하고있음)

2. 북한 최학근 원자력공업부장과 블릭스 사무총장 면담시 블릭스는 필요시북한에 대해 SPECIAL INSPECTION 을 할지 모르겠다는 언급에 대해 최부장은 북한이 아무것도 숨긴시설이 없는 상황하에서 IAEA 특별사찰이 실시될 경우 미국, 한국등에 MISUSE

국가국	장관	차관	1차보	외정실	분석관	청와대	안기부

0169

92.12.11   05:27

외신 2과 통제관 BZ

되지 않겠는가라는 우려를 표시했다함. 끝

(대사 이시영-국장)

예고:93.6.30 일반

북한 원자로 안전문제 및 대책 검토

1. 문제 제기

o 북한은 독자적인 핵개발 계획에 따라 실험용 원자로를 건설, 가동중에 있으
  며 상용로 수준의 원자로를 건설중에 있는 바, 북한의 기술 수준 및 제반
  산업환경의 취약성 및 안전사고시 피해의 광역성등을 감안, 북한 원자로
  안전문제에 대한 대책검토가 필요 함.

  - 지난 9월 IAEA 원자력안전 국제자문단(INSAG)회의시 장순흥 INSAG위원
    (과학기술연구원 교수)는 북한 원자로 안전문제와 관련, MAGNOX형 원자로
    의 안전문제를 일반적 term으로 제기

    * MAGNOX형 원자로 : 천연우라늄을 핵연료로, 흑연을 감속재로, 탄산
      가스를 냉각재로 사용하는 '흑연감속가스냉각형 원자로'를 말하며
      핵연료봉을 마그네슘으로 피복한데서 MAGNOX형이라는 이름 유래

    * 북한의 원자로는 대부분 MAGNOX형 (흑연감속가스냉각형) 원자로

  - 김진현 과기처 장관, 지난 9월 제36차 IAEA 총회 기조연설에서 북한
    원자로의 안전성문제에 우려를 표명

  - 이시영 주오스트리아대사, 지난 10월 제47차 UN총회의 IAEA 보고서 심의시
    북한원자로의 안전성문제에 우려 표명 및 북한에 RCA 협정 및 원자력안전
    지역 협력사업 참여 촉구

2. 북한 원자로 현황

o 북한이 IAEA에 제출한 최초보고서 (92.5.4)에 의하면 북한은 8MW 연구용
  원자로(1기)와 5MW 실험용 원자로(1기)를 가동중 에 있으며, 상용원자로 2기
  (50MW 1기, 200MW)를 건설중 에 있음.

  - 8MW 연구용 원자로(IRT-2000)는 1965년 구쏘련의 원조로 건설되었으나
    나머지 3기(MAGNOX 형)는 주체사상을 내세워 독자 기술로 개발

0171

3. 북한 원자로의 안전성 문제

   o 북한의 원자로(MAGNOX형)는 1956년 영국이 핵무기 제조에 필요한 핵물질을
      생산하기 위해 개발한 원자로로서 안전성 문제에 아래와 같은 취약점이 있음.
      - 연료로 사용하는 천연우라늄은 쉽게 녹고 낮은온도에서 잘 늘어나는
         성질이 있어 핵연료 손상이 잘됨.
      - 감속재로 사용하는 흑연은 장기사용하면 에너지를 축적, 감속능력이
         저하되기 때문에 정기적으로 고온 가열하여 에너지를 방출시켜야 하는 바,
         이 과정에서 화재발생 가능성이 높고, 흑연 화재는 대량의 방사능 유출
         초래
         . 흑연은 핵사고 발생시 핵반응을 촉진하는 역할을 하여 사고를 확대
      - 북한은 주체사상을 내세워 원자로를 독자적으로 개발한 바, 기술 및 제반
         산업환경의 취약으로 안전설비 미흡

4. 고려사항

   가. 정치외교 측면
      o 북한 핵문제가 미해결인 상황에서 북한원자로의 안전성 문제 제기는
         IAEA등 국제무대에서의 북한 핵개발 저지를 위한 우리의 외교적 노력
         을 희석화할 가능성
      o 북한 원자로 안전성 문제제기는 북한측의 내정간섭 시비등 남북한간
         정치문제화 가능성

   나. 경제적 측면
      o 북한의 원자로 안전 검사를 위한 국제전문가 파견 (예 : IAEA 원전
         안전검사팀)에 소요되는 경비문제
      o 북한의 원자로형 변경(흑연감속형 → 경수로형) 지원시 소요되는
         막대한 재원문제

0172

다. 북한측 반응

    o 북한 원자로 안전문제에 대한 국제적. 공개적 논의에 반대 예상

5. 검토의견

가. 실현 가능성 검토

    o 북한 핵문제가 해결되지 않고 있는 현 시점에서 북한 원자로 안전
       문제의 본격적인 제기는 상기 4항과 같은 제약요인 이 있으나, 북한
       원자로 안전사고시 예측되는 피해상황의 심각성을 감안할때 동문제를
       도외시할 수 없는 현실적인 어려움 도 있음.

    o 따라서 동문제는 북한 핵문제의 진전상황에 따라 IAEA와 남북한간 양자
       차원에서 아래와 같이 단계별로 추진함이 바람직 함.

나. 추진방안

    1) 1단계 : 북한 원자로 안전문제에 대한 국제적 관심 조성

       o IAEA 이사회, 총회 및 원자력안전 관련 세미나등 기회에 북한
          원자로의 안전문제 제기 (기실시중)

    2) 2단계 : 남북한간 북한 원자로 안전문제에 대한 일반적 토의 추진

       o IAEA 이사회등 기회에 북한측과 접촉, 북한 원자로 안전문제에 대한
          토의를 제의하고 북한측이 호응해 올 경우 단계별 추진방안 협의

    3) 3단계 : 1,2 단계 실시후 북한 원자로의 안전문제 관련 IAEA 및
                지역협력 차원의 대책 추진

       가. IAEA 차원의 대책

          o IAEA 주관 MAGNOX형 원자로 사용국가(영국, 프랑스, 북한)간
            안전분야 전문가회의 개최 추진
            - MAGNOX형 원자로의 일반적 안전문제 논의
            - 대북한 IAEA 원전안전검사팀 (OSART) 파견문제 논의

0173

○ 현재 IAEA가 추진하고 있는 구쏘련 및 동구권 국가의 원자로 안전성 대책사업에 북한 포함 추진

○ 원자로 안전분야 관련 국제협약에 북한 가입 유도

- '핵사고시 조기통보 및 비상시 지원에 관한 협약' (북한은 동 협약에 서명은 하였으나 상금 미 비준)

나. <u>지역협력 차원의 대책</u>

○ 북한의 원자력지역 협력 체제 가입 추진

- RCA협정 (핵과학과 기술의 연구, 개발 및 훈련에 관한 지역협력 협정)에 북한가입 추진

4) <u>4단계 : 1-3단계 결과와 북한 핵문제에 큰진전 있을 경우 실시</u>

○ 남북한간 원자력 협력 사업의 구체적 추진

- 북한의 원자로형 변경위한 지원
- 원자력 안전분야에 걸친 남북한간 협력 방안 추진

0174

7 FACILITIES

- 8MW 연구용 원자로 (영변)
- 임계시설 (영변 핵물리학 연구소)
- 준임계 시설 (김일성 대학)
- 핵 연료봉 성형 공장 (영변)
- 핵 연료 저장소 (영변)
- 5MW 실험용원자로 (영변 핵물리학 연구소)
- 방사화학 실험실 (영변)

2 LOCATIONS

- 방사성 동위원소 관련시설 2개소 (평양북방 소재 병원또는 실험실)

2 SITES

- 3차사찰직후 방문했던 2개의 미신고시설
  - 1개 SITE는 군사지역내 소재한 폐기물 관리시설로 추정

0175

北韓의 16個 核施設 目錄

施 設 名	數量	規 模	所 在	備 考
研究用 原子爐 및 臨界施設	2기		영변 核物理學研究所	旣査察中
準臨界施設	1기		평양 김일성大學	旣存施設
核燃料棒 製造 및 貯藏施設	2기		영 변	旣存施設
核發電 實驗原子爐	1기	5MW	영변 核物理學研究所	旣存施設
放射能 化學實驗室	1기		영변 放射能 化學研究所	建設中
核發電所	1기	50MW	영 변	建設中
核發電所	1기	2백MW	平北 (태천)	建設中
發電用 原子爐	3기	각기 635MW	(신포)	建設計劃
우라늄鑛山	2개소		(순천등)	旣 存
우라늄 精練 生産工場	2개소		(평산, 박천)	旣 存

—— : 7 facilities

0176

외　무　부

관리 번호 : 92-1084

종　별 :

번　호 : AVW-1941

일　시 : 92 1211 1200

수　신 : 장 관(국기,미이,정특,기정,과기처)

발　신 : 주 오스트리아 대사

제　목 : 대북 제5차 사찰단 방북

연: AVW-1904

연호 표제사찰단 구성이 IAEA 사무국 내부사정에 따라 단장에 THEIS 과장 대신 SAUKKONEN (핀랜드인)으로 바뀌고 나머지 3 인은 PYKHTIN (러시아인), RUKHLO (러시아인), RATCHEV (불가리아인)임을 보고함. 끝

(대사 이시영-국장)

예고:1993.6.30 일반

일반구 재분류 (1993.6.3.0)

국기국　　장관　　차관　　미주국　　외정실　　분석관　　정와대　　안기부　　과기처

외 무 부

110-760 서울 종로구 세종로 77번지 / (02)720-2336 / (02)720-2686

문서번호 국기20332-106ㄴ

시행일자 1992.12.16 ( )

취급		장 관	
보존		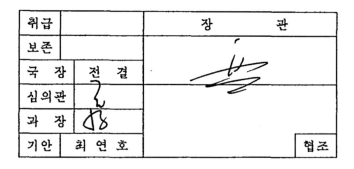	
국장	전 결		
심의관			
과장			
기안	최연호		협조

수신 주오스트리아 대사

참조

제목 북한 원자로 안전문제

대 : AVW-1566

검　필 (1992.12.31)

검　필 (1993. 6.30)

1. 대호 관련 과기처 검토의견을 별첨 송부하니 검토후 귀관의견을 회보하여 주시기 바랍니다.

2. 1항 회보시 아래사항에 대해 가능한한 상세 파악 보고바랍니다.

　　가. IAEA 주관 MAGNOX형 원자로 사용 국가간 회의개최 추진방법 및
　　　　경비문제

　　나. 북한에 ASSET나 OSART 파견 추진 방법 및 경비문제

　　다. IAEA가 추진중인 구소련 및 동구권 국가의 원자로 안전성
　　　　확보 프로그램에 북한 포함 가능성 및 추진방법

3. 한편, 과기처는 동북아 원자력안전 협의체 구성추진을 위해 상급 관계 부처와 협의중에 있음을 통보하니 참고바랍니다. 끝.

예고 : 95. 12. 31 일반

0178

발 신 전 보

번   호 : _____   종별 : _____

수   신 : 주 오스트리아   대사//총영사

발   신 : 장 관 (국기)

제   목 : 북한 원자로 안전문제

대 : AVW-1566

1. 표제관련 과기처와 협의등 검토 결과, 대호 건의에 대해 long term에서는 귀관과 같은 생각임.

2. 그러나 북한 핵문제에 대한 일부 우방국가들의 긍정적 평가 분위기가 있고 또한 북한 핵개발의혹이 상존하고 있는 현시점에서 우리측이 IAEA에 동문제를 본격 제기할 경우, 북한 핵문제에 대한 우리정부의 기본입장이 변화되었다는 인상을 줄수 있는 바, 따라서 동문제는 북한 핵문제에 대한 IAEA의 최종평가가 IAEA를 통한 구체적사업 추진 (OSART파견, MAGNOX형 원자로 사용국 회의 개최등)은 바람직하지 않다고 봄.

3. 한편, 과기처는 동건과 별도로 동북아 원자력안전협의체 구성추진을 관계 부처와 협의중에 있음을 통보하니 참고바람. 끝.

예고 : 92.12.31 일반

(차   관)

보안
통제

앙고재	년월일	과	기안자 성명		과 장	심의관	국 장		차 관	장 관

외신과통제

0179

원 본

외 무 부

종 별 :

번 호 : AVW-1966

수 신 : 장 관(친전-국기)

일 시 : 92 1217 1710

발 신 : 주 오스트리아 대사

제 목 : 북한 핵문제

　　12.16(목) 저녁 조창범공사가 영국대표부 리셉션석상에서 당지 러시아 대표부 PAVLINOV 참사관과 표제관련 의견 교환한바 특기사항 아래보고함

　　1. 대북한 임시사찰에 참여한바있는 러시아인 사찰관으로부터 동인이 전문한바에 의하면 북한이 IAEA 에 신고한 플루토늄 총량은 62 그람이라고 함.

　　2. 상기 플루토늄 신고량의 정확성여부는 93 년 5-6 월경 예상되는 5MW(E) 실험용 원자로의 연료교체시 사용후 연료량 검증결과를 기다려야 할것이나 러시아로서는 현 북한의 원자력계획및 기술수준이 핵무기를 만들수있는 단계에는 훨씬못 미치고 있는것으로 본다고함.

　　3. IRT 연구용 원자로의 사용후 연료량및 동위원소 실험실(HOT CELL 보유)에서의 별도 플루토늄 추출가능성과 관련한 IAEA 측의 검증활동은 오래된 운전기록의 부실등으로 어려움을 겪고있는것으로 보이나 상기 원자로의 경우 당시 소련이 지원하고 상당히 관여했기때문에 소련 모르게 은밀히 상당량의 플루토늄 추출활동을 했을 가능성은 희박한것으로 보고있다함.

　　4. 북한대표부 윤호진참사관은 최근 동인과 접촉시 IAEA SAFEGUARDS OPERATION(A) 국장(북한 관장) 후임문제 (SURICHT 국장의 93 년봄 은퇴로 현재 THEIS 과장등 수명이 입후보중)에 관심을 표하면서 앞으로 IAEA 관리 북한 방문시 동국장도 직책상 방문단에 포함될 경우가 있을것임으로 이미 북한이 잘알고있는 THEIS과장이 승진하게되면 좋겠다고 피력하였는바 이러한 언급은 북한이 미신고 시설시찰을 위한 IAEA 관리 북한방문 계획에 협조할 것이라는 기본적인 태세를 시사하는 것이어서 주목된다 하였음. 끝

　　(대사 이시영-장관)

　　예고:1993.12.31 일반

검 토 필 (1993 . 6 .30)

국기국　　장관

0180

29

원 본

외 무 부

71

종 별 :

번 호 : AVW-1981　　　　　　　　일 시 : 92 1221 1700

수 신 : 장관(국기,미이,정특,기정,과기처)

발 신 : 주 오스트리아 대사

제 목 : IAEA 제5차 대북 임시사찰

연:AVW-1941

연호 IAEA 제 5 차 임시사찰팀은 사찰을 마치고 12.20(일) 당지 귀임하였음.
SAUKKONEN 단장은 귀로 핀랜드 방문후 93.1.4 경 귀임예정이라함. 끝

(대사 이시영-국장)

예고:93.6.30 일반

보통문서로 재분류(1993. 6. 3 0)

외 무 부

증 별 : 지 급

번 호 : AVW-1995

일 시 : 92 1223 2320

수 신 : 장 관(친전,국기,미이,배포처통제)

발 신 : 주 오스트리아 대사

제 목 : 북한 핵문제

연:AVW-1966

본직은 금 12.23. IAEA 안전조치부 THEIS 과장과 오찬 회동 (조창범 공사, 김의기 참사관 동석), 제 5 차 사찰결과등 북한 핵문제관련 최근 동향에 대해 의견을 교환하였는바, 특기사항을 하기 보고함.

1. 제 5 차 사찰결과

가. THEIS 과장은 제 5 차 사찰팀이 계획된 임무를 순조롭게 수행하였으며 북한측도 매우 협조적이었다고 하면서 추가 샘플 채취, 감시장비 기록 점검등 성과가 있었다고함

나. 제 5 차 사찰기간 (12.14-19) 이 과거에 비해 왜 짧았느냐는 질문에 대해 이번 사찰은 1 월 실시 예정인 제 6 차 사찰의 준비등 제한적 임무수행을 위한 것으로 T/S 문제관련 IAEA 사찰문제에 논란이 있던 상황하에 예정대로 사찰을 계속 함으로서 북한측에 심리적, 정치적 멧세지를 주는 의도가 있었다고 하였음

다. 5 차 사찰시 미신고 장소 방문은 계획에 없었다고 언급하였음

2. 향후 사찰계획

가. 제 6 차 사찰은 자신이 사찰단을 인솔 내년 1 월 후반 (SECOND HALF OF JANUARY) 에 실시될 예정이며, 자신과 직원 2 명은 1.16 경 출발, 미리 도착하여 정상적인 사찰업무개시 이전에 별도의 추가적인 업무를 수행케 될것이라 하였음

나. 그간 대북한 사찰을 매 4-5 주 마다 실시함으로써 차기 사찰 개시 이전에 그 직전 사찰의 결과를 충분히 분석.평가하는데 시간적 여유가 없었는바 앞으로 대북한 사찰관품을 늘리고 자신은 매 2 회마다 사찰단장으로 참여할 계획이라고 함

다. 대북한 사찰관품의 증원을 위해 11 명을 추가로 지정하여 북한에 승인 요청중에 있으며 북한측으로부터 곧 승인이 있을것으로 본다함

장관	차관	미주국	국기국	분석관	

0182

92.12.24 09:20

외신 2과 통제관 CM

라. 5MW(E) 실험용 원자로의 연료 전면 교체가 예상되는 내년 상반기가 대북한 사찰에 있어 결정적으로 중요한 시기이므로 북한에 대한 집중적 사찰을 위해 5MW(E) 실험용 원자로의 연료교체시에는 모든 과정을 확인하기위해 IAEA 사찰관이 상주하면서 간격없이 24 시간 입회하는 방안을 추진중 이라고함 (이문제로 현재 SCHURICHT 국장과 자신간에 이견이 있다고 하면서, 내년 4 월경은 피할 SCHURICHT 국장은 자신의 제반업무 추진에 소극적 태도를 보이고있어 동국장에게 올리는 건의의 사본을 JENNEKENS 사무차장, VILLAROS 사무총장 특별보좌관등 고위간부들에도 돌리고 있기때문에 자신의 계획이 관철될 것으로 본다 하였음)

마. 상기 연료교체과정 입회 확인 문제와 관련 연료 교체시기와 T/S 훈련기간이 일부 중복될 가능성이 있다고 함. (동 연료교체시기를 4 월중으로 예상)

바. 동인에 의하면 실제 북한측은 과거 사찰시 통상 사찰관의 검문소 출입에 형식적인 검문으로 지체없이 통과시키곤 했으나 지난번 한국측의 독수리훈련 기간중엔 경비원들이 무장 전투복 차림으로 매초소마다 차량을 정지시키고 철저한 검문을 실시한바 있다고함

사. 5MW(E) 실험용 원자로의 샘플 채취문제와 관련 동 MAGNOX 형 원자로의 설계에는 가동중에도 연료교체가 가능토록 되어 있으나 실제로는 기술적 애로로 인해 가동중 연료교체는 불가능한 상태로 되어있다함. 또한 당초 추진한바 있던 5MW(E) 실험용 원자로의 무작위 연료 샘플채취는 관련 기계의 고장 (현재 수리를 위해 완전 분해해 놓은 상태이며 북한측이 나쁜 의도로 조작한것은 아님이 확실하다함) 으로 불가능하였으나, IAEA 는 과거에 파손되어 교체된 연료로부터 이미 샘플을 채취한바 있고 곧 전면 연료교체 예정이므로 이제 무작위 연료 샘플 채취의 가치는 없어졌다고 언급함

아. 또한 최근 새로운 기술발달로 원자로 내부및 관련장비의 금속물 표본 채취 분석을 통해 핵연료 사용량을 추정할수 있기때문에 차기 사찰시엔 이방법을 사용할 계획이며, 동 분석과정엔 IAEA 외부의 도움이 필요한바 이미 동기술을 보유하고 있는 3 개국 (미국 포함)이 협조의사를 표명하였다함

3. IAEA 관리 방문 문제

가. 미신고 장소등 시찰을 위한 IAEA 관리의 북한방문이 제 6 차 사찰이전에 있을 것인지 여부를 문의한데 대해 아직 IAEA 관리 방북시기가 결정되지는 않았으나, 2 월 이사회 이전에는 방문하게 될것이라고 하였음.

0183

나. IAEA 측은 93.2 월 이사회시엔 사무총장이 그간 사찰결과에 관해 좀더 구체적인 평가 보고를 할수 있도록 의욕적 목표를 세우고있으며 이를위해 그 이전에 관리방문, 6 차 임시사찰 등을 통해 상당한 진전이 있도록 계획중 이라고 하였음

4. 최학근 IAEA 방문

가. (통상적인 사찰관련 문제를 협의하기위해 관계장관이 직접 IAEA 를 방문한다는 것은 잘 납득되지않으며, 장관이 직접 해명하여야 할 의문사항이 있었던 것이 아니냐는 지적에대해) IAEA 사무국이 북한측에 미신고장소등 시찰을 위한 IAEA 관리 북한방문 희망시기를 제의한데 대해 북한측은 동 방문 희망시기에 최학근 부장이 유럽순방 계획상 평양에 있을수 없는 사정임으로 동 유럽방문 기회를 활용 관련문제를 비엔나에서 협의하자는 반응을 보여 BLIX 사무총장 으로서도 다른 선택의 여지가 없었다고함

나. 동인은 BLIX 사무총장이 최학근 부장과의 면담시 북한측의 T/S 훈련과 IAEA 사찰을 연계하는것은 절대 용납할수 없으며, T/S 훈련기간 중에도 IAEA 사찰을 계획대로 실시한다는 단호한 입장을 누차 표명했으며 12 월 이사회에서도 다수 이사국이 연계불가 입장을 강하고 구체적으로 표명한 것이 주효한 것으로 본다고 말하고 12 월 이사회시 한국측의 연설내용이 매우 건설적 이었다는 것이 IAEA 측 평가였다고 말함

북한측은 T/S 훈련 기간중에 영변지역이 특별제한국역 (SPECIAL RESTRICTED AREA) 으로 지정되어 외국인은 물론 내국인에게도 출입이 제한되고있어 동 훈련기간중 IAEA 사찰팀의 동 지역 방문을 위해서는 특별 상부 재가를 얻어야 함으로 실제적인 어려움 (PRACTICAL DIFFICULTY)이 있을수 있다는 점을 지적한바 있다함. 끝

(대사 이시영-장관)

예고: 1993.6.30에 예고문에 의거 일반문서로 재분류됨

/ 그라서 FTX가 실시리는 기간은
리해나 ad hoc 사란인성이 수넙리르록.
/ 93 T/S 받토이후 꼭오지나에 한남.

검토필 (1992. 12. 30) 인

1. IAEA의 對北 核查察

ㅇ 12.23 IAEA 關係官은 제5차 對北韓 核查察(12.14-19) 結果 및 향후 査察計劃에 관해 아래와 같이 언급함.

(제5차 査察結果)
- 제5차 査察팀은 計劃된 任務를 순조롭게 遂行하였으며, 北韓側도 금번 査察에 매우 協調的이었음.
- IAEA 査察을 T/S訓練에 연계시켜 論難이 있던 狀況에서 예정대로 査察을 遂行함으로써 北韓側에 心理的, 政治的 멧세지를 주는 效果가 있었음.

(向後 査察計劃)
- 제6차 對北査察은 93.1월 후반에 實施할 예정이며, 앞으로 査察結果를 충분히 分析.評價하기 위해 對北韓 査察官으로 11명을 追加로 指定할 계획임
- 北韓의 5MW 實驗用 原子爐燃料 全面交替가 예상되는 내년 상반기(4월경)가 核隱匿 여부 確認에 決定的으로 重要한 時期이므로 이때에는 IAEA 査察官이 常駐하면서 24시간 立會하는 方案을 추진중임.

(IAEA官吏 訪北問題)
- IAEA 官吏가 未申告 場所등 視察을 위해 2월 理事會 以前에 訪北하게 될 것이나, 具體的 時期는 아직 未定임.

(駐오스트리아大使 報告)

0185

원 본

외 무 부

종 별 :

번 호 : AVW-2012   일 시 : 92 1231 1120

수 신 : 장 관(국기,미이,정특,기정,과기처)(배포처 제한)

발 신 : 주 오스트리아대사

제 목 : 연:AVW-1543,1995

　　1. 12.31(목)당 대표부가 비공식 경로를 통하여 파악한바에 의하면 IAEA 사무국 안전조치 운영부서(C)의 (Operation C) SVEIN E.THORSTENSEN(놀르웨이인)국장을 단장으로 HEINONEN(사찰관(핀랜드인))외 1 명등 총 3 인이 미신고 핵폐기물 시설을 보기위해 93.1 월 둘째주일부터(1.4-9) 1 주간 방북할것이라함(사찰이 아닌 방문)

　　2. 제 6 차 대북 임시사찰단은 THEIS 과장을 단장으로 93.1.25-2.6(2 주간)실시할 예정이라함. 끝

　　(대사 이시영-국장)

　　예고:1993.6.30 일반

검 토 필 (1993. 6.30)

국기국	장관	차관	미주국	외정실	분석관	안기부	과기처

0186

외교문서 비밀해제: 북한 핵 문제 12

북한 핵 문제 IAEA 대북한 핵시설 사찰 2

초판인쇄 2024년 03월 15일
초판발행 2024년 03월 15일

지은이 한국학술정보(주)
펴낸이 채종준
펴낸곳 한국학술정보(주)
주 소 경기도 파주시 회동길 230(문발동)
전 화 031-908-3181(대표)
팩 스 031-908-3189
홈페이지 http://ebook.kstudy.com
E-mail 출판사업부 publish@kstudy.com
등 록 제일산-115호(2000. 6. 19)

ISBN 979-11-7217-085-1 94340
       979-11-7217-073-8 94340 (set)